NICOLINI

# ¿Qué cocinaré hoy?

Recetario
**nicolini**

🌐 Planeta

# Presentación

El *Recetario Nicolini* es un clásico de la cocina peruana. Desde su aparición en la década del setenta, y debido a sus consejos útiles y recetas simples y caseras, se convirtió en un referente infaltable de los hogares peruanos. Después de 15 años, ponemos en sus manos esta nueva edición que contiene una selección de recetas que ha sido cuidadosamente revisada y puesta al día por las reconocidas expertas Ada y Maricarmen. Y es que una publicación emblemática como el *Recetario Nicolini* merecía estar en un formato innovador y de colección. Este es un homenaje especial a nuestra gastronomía y a todas las personas que, a través de los años, han encontrado en sus páginas soluciones prácticas a una clásica pregunta: *¿Qué cocinaré hoy?*

*¿Qué cocinaré hoy? Recetario Nicolini*
© **2013, Alicorp S. A. A.** Todos los derechos reservados.
www.alicorp.com.pe

**Créditos:**

**Editorial Planeta Perú S. A.**
Av. Santa Cruz 244, San Isidro, Lima, Perú.
www.editorialplaneta.com.pe

**Primera edición:** noviembre de 2013
Reimpresión: setiembre de 2014
**Tiraje:** 80.000 ejemplares

**Dirección editorial:** Sergio Vilela, Eugenia Mont y Tarcila Shinno
**Producción y edición general:** Franco Ortiz

**Corrección de estilo:** Juan Carlos Bondy
**Diseño gráfico:** Staff Creativa
**Diagramación:** Astrid Torres-Pita

**Edición fotográfica:** Franco Ortiz
**Fotografías:** Empresa Editora El Comercio S. A.
**Retoque fotográfico:** Julio Basilio

**ISBN:** 978-612-4151-92-7
**Registro de Proyecto Editorial:** 31501311300711
**Hecho el Depósito Legal en la Biblioteca Nacional del Perú:** N° 2013-12828

Impreso en Empresa Editora El Comercio S. A.
Jr. Juan del Mar y Bernedo 1298, Chacra Ríos, Cercado de Lima.
Lima, Perú.

# Diccionario

# Diccionario básico de cocina y repostería

| | |
|---|---|
| **Abrillantar** | Dar brillo con jalea, mantequilla, huevo o gelatina a una preparación. |
| **Acaramelar** | Untar o bañar con caramelo un molde, frutas o tortas. |
| **Aderezar** | Acción de agregar sal, aceite, vinagre, especias, etcétera, a ensaladas u otras preparaciones. Dar su justo sabor a una comida, con la adición de sal u otras especias. |
| **Adobar** | Colocar la carne cruda (res, cerdo, pollo, etcétera) dentro de un recipiente con el adobo elegido, con el objeto de darle un sabor especial o ablandarlo. |
| **Aliñar** | Condimentar, aderezar, sazonar. |
| **Almíbar** | Jarabe más o menos espeso, preparado con azúcar y agua. |
| **Amasar** | Trabajar una masa con las manos. |
| **Apanar** | Rebozar un alimento en pan rallado para luego freírlo y lograr así un dorado perfecto. |
| **Áspic** | Platos fríos envueltos en una capa de gelatina. |
| **Bañar** | Cubrir con una salsa, un baño o un glaseado. |
| **Baño María** | Forma de cocción que consiste en poner al fuego o al horno un recipiente con agua y dentro de él otro con la receta preparada. |
| **Batir** | Mezclar rápidamente uno o varios ingredientes con movimientos amplios, a fin de incorporar aire a la preparación. Puede hacerse a mano, con batidor de alambre o con batidora eléctrica. |
| *Bavarois* | Preparación helada a base de huevos, gelatina, frutas, leche y algunas veces crema. |
| **Blanquear** | Poner agua hirbiendo, durante unos minutos, carnes, pescados, verduras u hortalizas, para ablandarlos o poner tiernos. |
| *Bouquet garni* | Es un ramito compuesto de ½ hoja de laurel, una ramita de perejil y otra de tomillo fresco. |
| **Cernir** | Pasar los ingredientes secos a través del cernidor. |
| **Clarificar** | Los caldos se clarifican con claras de huevos batidas; las salsas se clarifican espumándolas. |
| **Cobertura de chocolate** | Chocolate rico en mantequilla de cacao. Se emplea para cubrir o preparar diferentes mezclas. Especial para chocolatería. |

| | |
|---|---|
| **Cocinar al vapor** | Cocer un preparado en un recipiente dentro de otro cerrado y con vapor de agua. |
| **Colar** | Escurrir el liquido que tiene un elemento, para separarlo de las partes sólidas o impurezas. |
| *Concassé* | Alimentos picados en forma gruesa y rústica. |
| **Condimentar** | Añadir especias para dar sabor. |
| *Coulis* | Jugos de frutas o verduras, crudas o cocidas. |
| **Crutones** | Trocitos de pan fritos en mantequilla o aceite. |
| **Cuajar** | Esperar que la preparación tome la consistencia deseada. |
| **Desglasear** | El jugo que suelta la carne durante su cocción se pega en el fondo de la asadera o cacerola. La operación de despegar este jugo solidificado se llama desglasear y se realiza agregando agua, caldo o vino, y raspando con una cuchara de madera para disolver todo. |
| **Desleír** | Disolver harina o yemas agregándole cualquier líquido y revolviendo continuamente con una cuchara de madera para que no se agrume. |
| **Dorar** | Cocinar hasta que la superficie tome color dorado. |
| **Enharinar** | Espolvorear con harina. |
| **Enmantequillar** | Untar con mantequilla. |
| **Enrollar** | Dar forma de rollo, También se puede decir "arrollar" |
| **Escalfar** | Cuajar un alimento en agua hirviendo. |
| **Especias** | Son elementos que se incorporan a los alimentos para mejorar o cambiar el sabor. Pueden ser hojas, tallos, raíces, cortezas, frutos o semillas. |
| **Fécula** | Polvo de almidón contenido en diversas plantas. Por ejemplo, el chuño de la papa. |
| **Finas hierbas** | Mezcla de hierbas aromáticas que se utilizan para perfumar diferentes comidas. Son muy usadas en la comida francesa: estragón, perejil, apio, entre otras |
| **Flambear o flamear** | Rociar un postre con licor caliente y encender al momento de servir. Esto se hace casi siempre en presencia de los comensales. |
| **Freír** | Cocinar alimentos en mantequilla, manteca o aceite hirviendo. |

| | |
|---|---|
| **Fumet** | Líquido de cocción concentrado. También se llama así al fondo de pescado muy reducido. |
| **Filetear** | Cortar en láminas finas. |
| **Forrar** | Cubrir con masa el fondo y las paredes de un molde. |
| **Gelatina sin sabor o colapez** | Sustancia sin sabor ni color que se hidrata primero en líquido frío y luego se disuelve al calor. Incorporada a los alimentos, los endurece al enfriar. Se encuentra en hojas y en polvo. 1 cda. equivale a 2 hojas. |
| **Glasear** | Rociar un alimento con su propio jugo, azúcar o mantequilla para que tome brillo y color. |
| **Gratinar** | Cubrir una preparación con salsa blanca, mantequilla, queso, merengue o azúcar, y llevar a horno caliente para que se dore su superficie. |
| **Guarnición** | Alimentos que decoran o complementan un plato. |
| **Harina** | Se extrae al moler los cereales. Por ejemplo, harina de trigo, harina de maíz (maicena), harina de centeno, harina de cebada, harina de arroz. |
| **Hervir** | Cocinar por inmersión en un líquido en ebullición. Hacer que un líquido entre en ebullición por acción del calor. |
| **Hornear** | Cocinar al horno. |
| **Hornear a** | Temperatura suave: 300°F-150°C. <br> Temperatura media: 350°F-175°C. <br> Temperatura alta:   400°F-200°C. |
| **Incorporar** | Añadir un nuevo ingrediente al preparado. |
| **Jardinera** | Verduras diferentes hervidas en agua con sal. |
| **Juliana** | Verduras y hortalizas cortadas en tiras finas. |
| **Ligar** | Espesar una salsa, crema, jugo, caldo o cualquier otro líquido con harina, fécula o yemas. |
| **Luquete o ralladura** | Cáscara rallada de naranja o de limón. |
| **Macedonia** | Mezcla de diversas clases de verduras o frutas. |
| **Macerar o marinar** | Sumergir cualquier alimento en una mezcla de hierbas aromáticas, especias, jugo de limón o vinagre, etcétera, para realzar su sabor. |

| | |
|---|---|
| **Papillote** | Papel grasa o metálico que envuelve un pescado o carne, para hornearlos sin que se sequen. También significa un adorno del mismo papel cortado en forma especial y con el cual se adorna un plato. |
| **Reducir** | Cocinar un líquido para disminuir su volumen por evaporación. |
| **Rehogar** | Cocinar uno o varios alimentos a fuego mediano, revolviendo siempre hasta que tome buen color. Sofreír. |
| **Repulgo** | Ondas que se forman presionando con los dedos alrededor de la masa. |
| **Revolver** | Mover una preparación mezclando en forma circular o haciendo un ocho para que no se formen grumos o para distribuir los ingredientes. |
| **Salsear** | Cubrir con salsa o jugo una preparación al ser servida. |
| **Saltear** | Dorar a fuego fuerte en una sartén destapada. Mover rápidamente un alimento, cuidando que no se pegue al fondo, ni que tome demasiado color. |
| **Sazonar** | Condimentar |
| **Sudar** | Cocción lenta, con aceites o mantequilla, sin líquido, en recipiente tapado. |
| **Tamizar** | Separar en el tamiz o cernidor las partes gruesas. |

# Especias, hierbas y condimentos

Los más conocidos son la sal, la pimienta y la nuez moscada. Siempre están en la cocina y recurrimos a ellos casi automáticamente. Ahora bien, debemos tener en cuenta algunos consejos para su buen uso. Si se abusa del ajo, su sabor penetrante cubrirá los más delicados. Si se excede en la pimienta, mostaza o nuez moscada, el mejor de los platos se habrá malogrado. Y si peca por discreción, los alimentos mejor preparados y presentados resultarán sosos e insípidos.

## Saber condimentar es la clave

Conocer la exacta medida de los condimentos, la manera en que se emplean, el momento en que se incorporan a los diferentes platos y cuáles son los más indicados en cada caso permiten el merecido lucimiento culinario y el milagro de transformar cualquier plato o una simple salsa en un verdadero manjar.

## El azafrán

Otorga un toque de color y sabor en las comidas. Es indispensable para el *bouillabaisse*, el *risotto* o la paella.

## El clavo de olor

La primera mención conocida del clavo aparece en los libros chinos que datan de los años 266 y 220 antes de Cristo. Era obligación de los funcionarios de la Corte ponerse un clavo de olor en la boca, a fin de perfumar su aliento cuando se dirigían al soberano. El clavo de olor proviene de un pequeño arbusto. No hay que abusar de él, pues el exceso arruina las comidas. Se utiliza con mucho éxito para perfumar delicadamente las salsas, el jamón y los dulces.

## El culantro

Sin lugar a dudas, el culantro es la hierba más utilizada en el mundo. Sus fragantes hojas se usan igualmente en la cocina oriental y latinoamericana. Sus hojas se emplean en el seco y el arroz con pato. En la India, la semilla es muy utilizada. Es conocido también como cilantro.

## *El curry*

Resultante de exóticos condimentos, tiene la fuerza de la pimienta, la frescura del jengibre, la dulzura de la canela, la fuerza del clavo de olor, el fuego de la páprika y el alegre color amarillo de la raíz de la cúrcuma. Acompaña exitosamente a pescados, aves y carnes.

## El estragón

Su suave sabor combina muy bien con platos a base de pescado blanco, camarones y huevos. Se puede usar para espolvorear sobre una *omelette*, sazonar en pollo y papas, o, si es fresco, en una ensalada. Mezclado con mantequilla derretida sobre papas o verduras cocidas, resulta una delicia.

## El huacatay

Esta hierba nativa del continente americano es aún poco conocida en el resto del mundo. De sabor fuerte, debe usarse con moderación. En el Perú se utiliza en la ocopa y en salsas de ají y queso. También se le añade al chupe de camarones. Una ramita en el locro de zapallo le otorga un sabor agradable.

## El kion o jengibre

Tiene un sabor muy aromático. Se extrae de un pequeño arbusto del que solo empleamos la raíz. En la India, su uso es indispensable. En la cocina china se utiliza la raíz fresca, pelada y rallada o picada. Una simple ensalada de frutas aderezada con una pizca de kion se transforma en un manjar exótico.

## El laurel

Se estima que es el más antiguo de los condimentos. Con apenas una hoja brinda un sabor suave y perfumado en salsas, sopas, estofados o guisos. Resulta también ideal para las salsas italianas a base de tomate. Su sabor aumenta cuando está seco.

## El orégano

Quizá en la cocina italiana es donde más se utiliza. El orégano es una de las pocas hierbas que mantiene su intenso sabor cuando está seco. Se usa en salsas de tomate, sopas y guisos.

## El romero

Fuerte y fragante, el romero debe usarse con moderación para no opacar el sabor de los otros ingredientes. Se utiliza especialmente con las comidas a base de tomate y estofados. Al introducir unas hojas dentro del asado o picado sobre papas con mantequilla antes de dorarlas en el horno, se logra un sabor especial.

## El tomillo

Su intenso sabor es excelente para condimentar platos de fondo, salsas de tomate y estofados de carne o pollo. Usado junto con el orégano, resulta perfecto.

## La albahaca

Sus hojas picadas o enteras son la clásica sazón para platos con tomate. Es esencial para preparar la salsa pesto. También es básica en la comida tailandesa, mezclada con *curry*.

## La canela

Es una especia conocida desde la Antigüedad y citada en la Biblia. Es originaria de Ceilán y de la India occidental. Se vende en polvo o en trozos. A menudo se utiliza con azúcar, pero en muchos países se emplea como condimento de carnes, pescados y salsas.

## La hierbabuena

Es muy utilizada en todo el mundo, tanto en preparaciones dulces como saladas. Sus hojas sirven para adornar postres y finamente picada es deliciosa cuando se mezcla en ensaladas de frutas y miel. En las comidas es útil para balancear los sabores fuertes de ciertos platos como el cau cau o la sangrecita. En algunos lugares de Europa y el Medio Este, las salsas de hierbabuena son tradicionalmente servidas con carne de ovino.

## La menta

En Inglaterra el cordero siempre es acompañado de una especial salsa de menta (*mint sauce*). No se concibe sin ella. La menta es una planta aromática que se emplea en infusión y que contiene un aceite esencial (extracto de menta) usado en la preparación de licores.

## La nuez moscada

Llega de la lejana Indonesia, principal productora de nuez moscada. Es el corazón de la fruta de un árbol de ese país.
Su fuerte sabor-inconfundible, personal y penetrante- debe ser dosificado cuidadosamente. Una pequeña ralladura de este diminuto corazón levanta el sabor del más indiferente o desabrido plato, dándole características propias.

## La páprika

Es el condimento clásico de los húngaros. Este pimiento rojo de intenso sabor y color resulta muy rico en vitaminas y no se debe echar jamás en el aceite o la mantequilla hirviendo, porque pierde al instante su lindo color, gran parte de su sabor y su alto valor vitamínico.

## La pimienta

Es uno de los condimentos más usados de la cocina y un excelente aliado del ama de casa cuando un plato no está suficientemente tentador. La pimienta es el fruto de un arbusto. La negra se extrae verde de la planta y tiene un sabor penetrante y fuerte. La blanca madura en el arbusto. Es mucho más suave y sumamente aromática.

## La salvia

Sus hojas picadas y mezcladas con pan, cebollas y apio sirven para el tradicional relleno del pavo. Si se combina con mantequilla, la pasta y los fideos quedan deliciosos.

## La vainilla

Pertenece a la familia de la orquídea. Su lejano origen se remonta a la Polinesia, a una isla cerca de Papeete. Después de un laborioso y complicado tratamiento, sus vainas verdes de transforman en negras y son deliciosamente perfumadas. La forma en que se expende y consigue generalmente es líquida.

## Los ajíes y chiles

Son los primos de los pimientos, pero extraordinariamente picantes. Son brillantes, largos o pequeños, y de diferentes colores: verdes limón, amarillos, morados, anaranjados o rojos como el rocoto. Usados sin prudencia, queman como fuego.

# Medidas y equivalencias

| Equivalencia | Cucharadita | | | Cucharada | | | Taza | Kilo |
|---|---|---|---|---|---|---|---|---|
| Ingredientes | Ras | Llena | Colmada | Ras | Llena | Colmada | | |
| Azúcar | 5g | | 10g | 15g | 25g | 30 g | 250 g | 1/4 |
| Azúcar impalpable | | 8g | | 8g | 18g | | 170 g | |
| Azúcar rubia bien comprimida | | 8g | | | 18g | | 190 g | |
| Harina | 3g | | | | 18g | | 130 g | |
| Chuño o fécula de maíz maicena) | | | 8g | | | | 125 g | ¼ |
| Mantequilla | | | | | 15g | | 250 g | ¼ |
| Agua | | 12g | | | | | 250 g | |
| Cocoa | | 15g | | | | 25 g | 150 g | |
| Pasas | | | | | | | 150 g | |
| Nueces | | | | | | | 100 g | |
| Huevos | | | | | | | 5 | |
| Claras | | | | | | | 7-8 | |

2 cucharaditas = 1 cucharada
16 cucharadas = 1 taza
1 libra = 459 g
1 onza = 18 g

# Secretos básicos

Aunque la preparación de un plato de comida, una torta o un postre tiene algunos secretos, el éxito radica en saber interpretar todas las indicaciones de la receta, conociendo el significado de las expresiones más usadas. Tenga en cuenta que cada detalle es un punto muy importante en la cocina.

| | |
|---|---|
| **Albóndigas redondas** | Para armarlas, mojarse las manos en agua fría. |
| **Agregar en forma de lluvia** | (Harina, azúcar, etcétera). Incorporar el ingrediente gradualmente. Puede usar el cernidor para facilitar la acción. |
| **Agregar poco a poco** | (Harina, azúcar, etcétera). Añadir el ingrediente por cucharadas y también a través del cernidor. |
| **Amasar** | Trabajar la masa con las manos. |
| **Añadir las yemas** | Incorporar, batidas o sin batir, según lo que indique la receta. |
| **Batir** | Mezclar con energía el preparado para unir los ingredientes y airearlos. |
| **Batir a punto crema** | Los ingredientes deben formar una mezcla uniforme, con consistencia de crema. |
| **Batir a punto de nieve** | Este punto se logra batiendo las claras en un recipiente seco y sin grasa, hasta que al invertirlo el contenido no se derrame. Las claras deben resultar espumosas, blancas, compactas y formar picos altos. |
| **Batir después de cada adición** | Indicado generalmente al agregar huevos para lograr una mezcla homogénea. |
| **Batir las yemas hasta que estén espesas y de color claro** | Batirlas hasta que tengan consistencia y su color se aclare. |
| **Cuando la torta está lista** | Una torta estará lista si al introducir un probador en el centro, este sale limpio y seco. |
| **Dejar reposar** | Dejar descansar la preparación. |

| | |
|---|---|
| **Desmoldar sobre rejilla** | Cuando retire la torta del horno, deje reposar unos 10 minutos en el molde y luego inviértala sobre una rejilla para que se enfríe. |
| **Enmantequillar y enharinar (e y e)** | Untar el molde antes de poner en él la preparación con mantequilla, margarina o aceite con ayuda de una brochita (o los dedos) y después espolvorear con harina. |
| **Forrar el molde** | Enmantequillar el molde y cubrir su interior con papel manteca. |
| **Incorporar mezclando** | Reemplazar la batidora por una cuchara de madera o un batidor de alambre en esta operación. |
| **Incorporar las claras a nieve suavemente** | Mezclar las claras al preparado, con movimientos envolventes y suaves, sin batir. |
| **Llevar a baño María** | Es una cocción a fuego indirecto, poniendo el recipiente con la preparación sobre otro con agua hirviendo. También sirve para entibiar el preparado y así facilitar el batido y obtener una mezcla espumosa y suave. |
| **Macerar** | Ablandar frutas en almíbar o licor. |
| **Mezclar los ingredientes secos alternando con los líquidos** | Comenzar y terminar incorporando los ingredientes secos, en pequeñas cantidades, alternándolos poco a poco con leche agua, jugos o almíbar, según se indique, mezclando bien después de cada adición. |
| **Papas fritas crocantes** | Antes de freír, secar muy bien las papas y salarlas al momento de servirlas. |
| **Para conservar bien verde la espinaca** | Ponerla a cocinar cuando el agua esté hirviendo sin tapar la cacerola, y pasarla por agua fría inmediatamente después de retirarla del fuego. |
| **Para enharinar presas con facilidad** | Colocar harina en una bolsa de papel o plástico, y colocar la presas una por una dentro de ella. Ajustar la abertura mientras se agita. |
| **Para lograr beterragas bien rojas** | Hervirlas con cascara y parte del tallo, dejándolas enfriar en el líquido en que se cocinaron. |

| | |
|---|---|
| **Para obtener una coliflor blanca** | Al cocinarla, añadir ½ taza de leche al agua. |
| **Para pelar huevos duros** | Se pelan fácilmente si primero se enfrían y luego se les da un golpe seco en la base. Los de codorniz se pelan aún tibios. |
| **Para que la yema del huevo duro quede en el centro** | Agregar un poco de sal al agua hirviendo. |
| **Para que los cítricos rindan más** | Hacerlos rodar entre las manos y la mesa o sumergiéndolos unos minutos en agua caliente. |
| **Para quitar acidez a la salsa de tomate** | Agregar ½ cdta. de azúcar |
| **Para quitar el exceso de sal de salsas o caldo** | Poner unas rodajas de papa cruda y cocinar por unos minutos. |
| **Revolver** | Dar vueltas continuas a la preparación con un batidor o una cuchara de madera, para unir los ingredientes o evitar que el preparado se queme (si está sobre el fuego) |
| **Tamizar, cernir** | Para por tamiz, cedazo o colador de trama muy fina el ingrediente indicado, para evitar impurezas, obtener un grano parejo y airear la preparación. |

# Salsas básicas

| | Mantequilla | Harina | Leche |
|---|---|---|---|
| Liviana | 1 cda. | 1 cda. | 1 taza |
| Mediana | 2 cdas. | 2 cdas. | 1 taza |
| Espesa | 3 cdas | 3 cdas. | 1 taza |

| | |
|---|---|
| **Salsa blanca** | Disolver en una olla la margarina con la harina sin preparar Nicolini. Retirar del fuego y añadir poco a poco la leche caliente, mezclando con batidor de alambre o cuchara de madera. Volver al fuego y cocinar hasta que hierva. Retirar y condimentar con sal, pimienta y nuez moscada |
| **Mayonesa de leche** | Colocar en el vaso de la licuadora leche evaporada helada hasta cubrir las cuchillas. Condimentar con sal y pimienta, mostaza y jugo de limón. Licuar y agregar lentamente aceite hasta obtener la consistencia deseada. |
| **Mayonesa de licuadora** | Colocar en el vaso de la licuadora 1 huevo entero, sal, mostaza y jugo de limón. Licuar y agregar lentamente aceite hasta obtener la consistencia deseada. |
| **Mayonesa de yema** | Colocar en un tazón 1 yema de huevo con 2 cdas, de agua, batir con batidor de alambre hasta Integrar e ir agregando 2 tazas de aceite aproximadamente, en forma de hilo, hasta alcanzar el espesor deseado. Sazonar con sal, pimienta, mostaza y limón. Para obtener una mayonesa diferente es posible cambiar 1 cda. de agua por 1 cda, de un jugo reducido, como maracuyá, aguaymanto, naranja, toronja, etcétera. Se obtiene el mismo resultado haciéndolo con una batidora. |
| **Mayonesa de palta** | Licuar 1 palta y 2 zanahorias cocidas en ½ taza de leche, sal, pimienta, jugo de limón y mostaza. Agregar aceite hasta que tome consistencia. |
| **Mayonesa de rocoto** | Soasar ½ rocoto sin semillas, ¼ de cebolla, 1 diente de ajo, y colocar todo en la licuadora junto con 1 huevo y sal. Agregar el aceite en forma de hilo hasta espesar. |
| **Salsa golf** | Agregar a 1 taza de mayonesa 2 cdas. de *ketchup*, mezclar y utilizar. |
| **Salsa tártara** | Agregar a 1 taza de mayonesa: 1 huevo duro, 1 cda. de cebolla, 1 cda. de pepinillos encurtidos y 1 cda. de hierbas finas, todo picado finamente. |

# Vinagretas

## Vinagreta básica

Mezclar 3 cdas. de aceite, 1 cda. de vinagre, y sal y pimienta al gusto. La salsa vinagreta puede variarse si añadimos, por ejemplo: tocino frito picado y jugo de limón; huevo duro y jugo de naranja o maracuyá; mostaza y *ketchup*; crema de leche y ralladura de limón; mayonesa y yogur o hierbas finas, etcétera.

## Aderezo a la crema

Para ensaladas de lechuga. Mezclar 4 cdas. de crema de leche o leche evaporada pura, con 1 cda.de jugo de limón o de vinagre, añadir sal y pimienta.

## Aderezo a la indiana

Para verduras cocidas. Mezclar 1 cda. de aceite con 1 cda. de cebolla finamente picada. Espolvorear 1 cdta. de *curry*. Agregar más aceite, jugo de limón, sal, pimienta y una pizca de ajo.

## Aderezo italiano

Licuar ½ taza de vinagre, 2 cdtas. de azúcar, 1 cdta. de sal, 1 cda. de cebolla picada, 1 trozo de 3 cm de apio y ½ taza de *ketchup*.

## Aliño japonés

Licuar 1 diente de ajo, ½ zanahoria, 1 cebolla, ½ taza de *ketchup*, 1 taza de aceite, 1 taza de vinagre, sal y pimienta.

## Salsa agridulce

Licuar 1 taza de aceite con ½ taza de vinagre tinto, 1 cdta. de mostaza, 1 cdta. de sal, 1/3 de taza de azúcar, 1 cdta. de pimentón, 1 trocito de apio y la cuarta parte de 1 cebolla mediana. Estará lista cuando el azúcar se haya disuelto completamente. Se puede conservar en un frasco cerrado en la refrigeradora.

## Salsa de yogur

Licuar por unos minutos ¾ de taza de yogur natural, 1 diente de ajo, 3 cdas. de hojas de culantro, 6 hojas de hierbabuena, sal y pimienta. Servir con ensaladas de hojas verdes.

## Pasta de ají verde o rocoto

Lavar ½ kilo de ajíes y quitarles el tronquito y las venas. Ponerlos en una olla, agregar 4 cdas. de azúcar, 4 cdas. de vinagre y colocar agua fría que los cubra. Cocinar por 30 minutos, hasta que estén suaves. Pelar los ajíes y licuar con 2 cdas. de aceite.

## Pasta de ají panca o mirasol

Lavar ½ kilo de ajíes, sacarles el tronquito y darles un hervor. Colar y luego licuarlos con 2 cdas. de aceite. Si desea que pique menos, se cuelan y se cambia el agua 2 veces más, antes de licuarlos.

# Baños y rellenos dulces

## Almíbar espeso o firme
Es el utilizado en el merengue italiano.
Colocar al fuego 2 tazas de azúcar con agua que la cubra, cocinar hasta que la ebullición sea pareja y las burbujas se encuentren en el centro de la olla y sean pequeñas. Temperatura entre 118°C y 121°C (245°F).

## Almíbar liviano
Es ideal para humedecer bizcochuelos. Colocar al fuego 1 taza de agua y ½ taza de azúcar. Cocinar 2 minutos hasta que se diluya el azúcar. Se conserva en la refrigeradora. Variantes: Se puede perfumar con café o licores al gusto.

## Caramelo
Colocar 1 taza de azúcar con agua que la cubra en una olla y llevar al fuego hasta que se forme un caramelo dorado.

## Caramelo para acaramelar moldes
Poner en una olla 1 taza de azúcar y agua que la cubra. Llevar al fuego hasta que tome color caramelo, tratando de no revolver para evitar que se cristalice. Usar inmediatamente. Temperatura ideal: 170°C-340°F.
Variación: añadir 1 cdta. de glucosa para darle mayor elasticidad. Se puede hacer el caramelo solo con azúcar, sin añadir agua.

## Mermelada de 4 frutas
Pelar, partir por la mitad y quitar las semillas a ¼ de kilo de peras, ½ kilo de manzanas, ½ kilo de membrillos y ½ kilo de duraznos. Cubrir con agua y cocinar por 15 minutos. Colar y tamizar. Poner el puré en una cacerola, añadir igual cantidad de azúcar y llevar a tomar punto a fuego lento.

## Mermelada de fresas
Lavar 1 kilo de fresas y retirarles los cabitos. Luego, colocarlas en un recipiente por capas, alternando con ¼ de kilo de azúcar. Rociar con el jugo de limón y dejar macerar por lo menos 2 horas.
Llevar a fuego fuerte y, cuando rompa el hervor, bajar a suave y proseguir la cocción. Revolver continuamente. Cuando comience a espesar, se sabe que está a punto por la densidad, por estar brillante y de un rojo intenso (con termómetro, de 100°C a 102°C, o 210°F).
Variaciones: las fresas pueden reemplazarse por otras frutas, teniendo en consideración que por 1 kilo de frutas debe usarse ¾ de kilo de azúcar. Para preparar mermelada de frutas desecadas (como albaricoques, damascos, etcétera), estas deben remojarse previamente durante unas horas y cocinarse unos minutos con el agua del remojo, antes de agregarles el azúcar.

## Mermelada de tomate

Lavar 2 kilos de tomates. Pelarlos. Colocar en una cacerola ½ tazas de azúcar, 2 tazas de agua, 2 ramas de canela y 3 clavos de olor. Hervir hasta que tome punto de hilo flojo. Echar los tomates partidos, dejar hervir hasta que tome punto y agregar limón.

## Mermelada picante de ají o rocoto

Quitar las pepas y venas a ½ kilo de ají verde o 3 rocotos. Hervirlos cambiando el agua 3 veces. Colar y licuar con ½ taza de vinagre blanco. Poner 1 taza de azúcar en una olla. Añadir la mezcla picante y el jugo de ½ limón. Cocinar hasta que tome el punto de mermelada. Agregar 1 cdta. de mantequilla.
Es ideal para servir con carnes o para piqueo con queso, tostadas o galletas.

## Praliné

Hacer caramelo. Cuando esté listo, incorporarle nueces picadas. Volcar esta preparación sobre una lata enmantequillada. Dejar enfriar y triturar del tamaño deseado.

## Salsa *toffee*

Disolver 1 taza de azúcar en una cacerola hasta que tome color dorado. Retirar del fuego y añadir lentamente 1 taza de leche (se forma una bola).
Llevar nuevamente al fuego, para que se disuelva el caramelo y hervir hasta que la preparación esté semiespesa. Perfumar con 1 cdta. de vainilla.
Sirve para bañar y rellenar tortas.

# Salsas, baños, cremas y rellenos calientes dulces

## Baño elástico

Cernir 1 cda. de goma tragacanto con 1 kilo de azúcar en polvo y colocar el resultado en un tazón. A continuación, mezclar 1/3 de taza de glucosa con 1 cda. de aceite y 9 cdas. de agua hirviendo. Volcar sobre el azúcar. Amasar hasta que se desprenda de las manos. Antes de usar, poner la masa en una bolsa de plástico en la refrigeradora durante por lo menos 1 hora. Para forrar una torta, estirar con el rodillo sobre una mesa espolvoreada con chuño o maicena.

## Baño elástico de chocolate

Diluir 500 g de chocolate cobertura de leche a baño María. Retirar y añadir 4 cdas. de pisco. Mezclar bien. Añadir 3 cdas. de glucosa y batir con una cuchara de madera hasta formar una bola.

## Crema *chantilly*

Poner en 1 tazón 1 taza de crema de leche helada, agregar 2 cdas. de azúcar en polvo y batir hasta que tome punto *chantilly* (es decir, cuando al levantar el batidor la crema forme picos). Secretos para que la crema *chantilly* sea perfecta:
• Poner a helar el tazón y los batidores que se van a usar.
• Si hiciera mucho calor, batir sobre un recipiente con hielo.
• Conservar en la refrigeradora hasta el momento de utilizar.

## Crema *chantilly* al chocolate

Batir 1 taza de crema de leche helada con 3 cdas. de azúcar en polvo y 1 cda. de cocoa cernida. Mezclar y batir a punto *chantilly*.

## Crema *chantilly* al café

Batir 1 taza de crema de leche helada con 3 cdas. de azúcar en polvo y 1 cdta. de café en polvo. Mezclar y batir a punto *chantilly*.

## Crema de mantequilla rápida

Batir 200 g de mantequilla con 200 g de azúcar en polvo cernida, hasta obtener una crema. Agregar 2 yemas, una por una, batiendo bien. Perfumar con ½ cdta. de vainilla o, si desea, algún licor (pisco, ron o coñac).
Variaciones:
Crema moka: Agregar café instantáneo al gusto.
Crema chocolate: Agregar cocoa cernida.

## Crema pastelera

Licuar 2 tazas de leche con 2 huevos, ½ taza de azúcar y 3 cdas. de harina sin preparar Nicolini.

Cocinar esta mezcla a fuego lento, sin dejar de revolver. Cuando rompa el hervor, contar 3 minutos más de cocción y retirar del fuego. Perfumar con 1 cdta. de vainilla. Variaciones:
Crema moka: Agregar al licuado 2 cdtas. de café instantáneo.
Crema de chocolate: Agregar al licuado 3 cdas. de cocoa.

## De albaricoques
Mezclar 6 cdas. de mermelada de albaricoques con 3 cdas. de azúcar y 1 copita de vino blanco seco. Cocinar unos minutos. Si desea, perfumar con pisco.

## De chocolate fácil
Mezclar 200 g de cobertura rallada con ½ taza de leche. Cocinar sin dejar de revolver. Fuera del fuego, agregar 1 cda. de mantequilla. Mezclar bien y mantener a baño María.

## De fresas
Licuar ¼ de kilo de fresas con 1 taza de jugo de naranja y 3 cdas. de azúcar. Llevar al fuego. Cuando rompa el hervor, añadir 2 cdtas. de chuño diluidas en ½ taza de agua fría. Cocinar sin dejar de revolver hasta obtener una crema fluida.

## Frejoles colados
Remojar el día anterior ½ kilo de frejoles negros. Luego, ponerlos en agua fría y cocinar hasta que estén suaves. Licuar con 2 tazas de leche evaporada pura. Poner en una cacerola y llevar a fuego suave a tomar punto con 1 kilo de azúcar, 1 raja de canela y 1 cdta. de clavo de olor en polvo. Volcar en una dulcera y espolvorear con 3 cdtas. de ajonjolí tostado.

## *Fudge*
Disolver en una cacerola 6 cdas. de cocoa en ½ taza de agua hirviendo. Añadir 2 latas de leche condensada y 2 latas de leche evaporada. Llevar a fuego mediano, moviendo constantemente con una cuchara de madera, hasta que se vea el fondo de la olla. Agregar 1 cda. de mantequilla y unir bien.
Nota: Para que el *fudge* se deslice bien al bañar o rellenar las tortas, debe estar tibio.

## Glasé real
Batir una clara hasta que esté espumosa. Agregar unas gotas de limón y azúcar en polvo cernida, por cucharadas, hasta darle la consistencia deseada.

## Glasé simple
Cernir 1 taza de azúcar en polvo, dentro de un bol. Agregar 1 cdta. de jugo de limón y, poco a poco, la cantidad necesaria de agua hirviendo, para darle la consistencia deseada.
Nota: Tanto el glasé real como el simple pueden teñirse con los colorantes especiales para repostería.

## Machacado de membrillo

Lavar y partir 8 membrillos en 4. Quitarles el corazón y ponerlos a sancochar en 1 litro de agua, hasta que estén cocidos. Licuarlos en la misma agua en que se sancocharon. Hervir aparte el corazón (goma o pectina) de los membrillos, en agua que los cubra. Luego, colar y agregar a los membrillos licuados. Colocar en una olla los membrillos, 1 kilo de azúcar y 1 raja de canela. Llevar a tomar punto (que se vea el fondo de la olla), a fuego suave, moviendo constantemente con una cuchara de madera. Vaciar en una fuente y dejar enfriar para cortar.

## Maná

Poner 2 latas de leche evaporada y ½ kilo de azúcar granulada en una olla. Añadir 2 huevos enteros y 6 yemas (todo colado). Llevar a fuego suave hasta que tome punto de manjar blanco espeso. Mover con una cuchara de madera. Retirar. Batir en la batidora o a mano hasta que enfríe y amasar suavemente con azúcar en polvo cernida, hasta que se desprenda de las manos.

## Manjar blanco

### Receta 1

Mezclar 1 lata de leche evaporada y 1 lata de leche condensada. Llevar al fuego a tomar punto. Añadir 2 yemas y 1 cdta. de vainilla.

### Receta 2

Colocar al fuego 1 bolsita de leche en polvo licuada con 2 tazas de agua, ¼ de taza de azúcar, 1 lata de leche evaporada y 1 cdta. de flan de vainilla. Mover constantemente hasta que se vea el fondo de la olla.

Es ideal para servir con carnes o para piqueo con queso, tostadas o galletas.

## Manjar de lúcuma

Licuar ½ kilo de lúcumas, sin cascara ni pepas, con 1 taza de leche. Poner esta mezcla en una cacerola. Añadir ½ kilo de azúcar y 1 cdta. de vainilla. Llevar a fuego suave hasta que tome punto (que se vea el fondo de la olla). Volcar en una dulcera y servir tibio o frío.

## Manjar de pallares

Cocinar en agua con sal 2 tazas de pallares remojados el día anterior y pelados hasta que estén tiernos. Licuar con 1 taza de leche evaporada pura. Poner 1 raja de canela y 1 cdta. de vainilla a fuego suave, junto con 2 tazas de azúcar, hasta que tome punto de manjar blanco (que se vea el fondo de la olla). Volcar en una dulcera y servir tibio o frío. Espolvorear con canela en polvo.

## Manjar de quinua

Lavar 1 taza de quinua por 2 o 3 veces. Cocinar en agua sin sal ni azúcar hasta que esté suave. Escurrir y licuar con 3½ tazas de leche y 3 tazas de azúcar. Llevar nuevamente al fuego a cocinar, moviendo con una cuchara de madera, hasta que se vea el fondo de la olla. Volcar a una dulcera y espolvorear con canela en polvo.

## Mazapán

Moler o licuar con pisco ¼ de kilo de nueces del Brasil peladas. Añadir 2 claras y mezclar. Agregar 4 tazas de azúcar en polvo y amasar hasta que se desprenda de las manos. Teñir la masa con colorantes vegetales del color que se desee.
Nota: Se utiliza para cubrir tortas, preparar o rellenar dulces pequeños, etcétera.

## Merengue francés

Tamizar 150 g de azúcar en polvo con 1 cdta. de chuño y reservar. Colocar en un bol de la batidora 5 claras a temperatura ambiente, añadir 1 cdta. de crémor tártaro y batir hasta espumar. Incorporar gradualmente 200 g de azúcar y proseguir el batido a alta velocidad, hasta que tome consistencia. Reducir la velocidad y añadir el azúcar en polvo. Hornear a 100°C-210°F hasta que estén secos y crocantes.

## Merengue italiano

Poner 450 g de azúcar en una cacerolita con agua que la cubra. Llevar a fuego fuerte y hervir hasta alcanzar el punto de bolita dura (118°C -245°F). Mientras tanto, batir 7 claras a punto de merengue. Cuando el almíbar esté al punto deseado, volcarlo en forma de hilo, sobre la mezcla de claras, sin dejar de batir hasta que enfríe. Perfumar con 1 cdta. de esencia de vainilla. Se le utiliza para decoración y *mousses*.

## Merengue suizo

Poner  3 claras con 200 g de azúcar en una olla y llevar a baño María.
Cuando la preparación esté tibia, pasar la mezcla al bol de la batidora y batir hasta merengar. Ideal para gratinar y decorar.

## Mermelada reducida

Tamizar 4 cdas. de mermelada de durazno o damasco en una cacerola. Añadir 4 cdas. de azúcar y 6 cdas. de agua. Llevar al fuego hasta que hierva y se integren todos los ingredientes. Utilizar tibio. Se puede conservar en frascos en la refrigeradora y luego volver a calentar para utilizar.

## Nuez nada o no es nada

Poner en una cacerola 1 litro de leche fresca y 8 yemas coladas. Unir 2 tazas de azúcar y llevar a fuego suave. Dejar hervir. Cuando se consuma el líquido, mover con una cuchara de madera hasta que tome punto (que se desprenda de la olla). Perfumar con 1/2 cdta. de vainilla. Vaciar a un tazón y batir hasta que enfríe. Si fuera necesario, amasar con azúcar en polvo cernida

# Temperaturas para hornear

| | | |
|---|---|---|
| **Muy suave** | 250°F – 125°C | Especial para secar bizcochuelos, hornear merengues, secar pastas *choux* y *brisée* |
| **Suave** | 300°F – 155°C | |
| **Menos suave** | 325°F – 165°C | |
| **Moderado** | 350°F – 175°C | Especial para hornear bizcochuelos, tortas, *cakes*, pastas *brisée* y *sablée*, pasteles y galletitas dulces. |
| **Más caliente** | 375°F – 190°C | |
| **Caliente** | 400°F – 200°C | Especial para masas de levadura (panes) y pasta de hojaldre. |
| **Más caliente** | 450°F – 225°C | |
| **Muy caliente** | 475°F – 250°C | |

Para conocer el calor del horno sin termostato, coloque un papel blanco dentro del horno. El papel quedará dorado en:

| | |
|---|---|
| 1/2 minuto | Si el horno está muy caliente |
| 1 minuto | Si el horno está caliente. |
| 1 1/2 minutos | Si el horno está moderado. |
| 3 o 4 minutos | Si el horno está suave. |

Para hornear en lugares muy altos

- 750 metros (2.500 pies) sobre el nivel del mar: Reducir ¼ de cdta. de polvo para hornear en cada cdta.
  Reducir ¼ de cda. de azúcar en cada taza.
  Aumentar 1 cda. de líquido en cada taza.

- 1.600 metros (6.000 pies) sobre el nivel del mar: Reducir ½ de cdta. de polvo para hornear en cada cdta.
  Reducir ¼ cda. de azúcar en cada taza
  Aumentar ¼ de cda. de líquido en cada taza

- 1.200 metros (4.000 pies) sobre el nivel del mar: Reducir ¼ de cdta. de polvo para hornear en cada cdta.
  Reducir 2 cdas. de azúcar en cada taza.
  Aumentar 2 cdas. de líquido en cada taza.

**Nota:** Para convertir los grados Farenheit a Celcius y viceversa, utilice la siguiente fórmula:
**Fahrenheit (°F)** = °C por 2
**Celsius (°C)** = °F entre 2

# Todo al *freezer*

Conservar los alimentos en el *freezer* es tener en casa un supermercado de alimentos crudos y cocidos:

• Podemos guardar los alimentos para 4 o más personas.
• Debemos guardar los líquidos en contenedores, llenándolos solo hasta las tres cuartas partes.
• Los alimentos que se descongelan no pueden volver a congelarse.
• Marque con un rótulo el contenido, la fecha y el vencimiento de cada uno.
• Evite abrir la puerta del *freezer* con demasiada frecuencia.
• Dejar que los alimentos cocinados se enfríen antes de ser congelados.
• Si hay un corte de luz, no abra el *freezer* innecesariamente.
• No se deben congelar: gelatinas, preparaciones de maicena, verduras de hojas crudas, botellas de vidrio con líquidos, huevos crudos con cascara, papas en guiso, huevos duros.
• Tenga siempre papas fritas. Pele y corte en bastones, cocine de 3 a 4 minutos en aceite no muy caliente, escurra, distribuya de forma separada sobre latas y congele. Cuando las papas estén duras, embolse. Para utilizarlas, colóquelas en aceite muy caliente. Enseguida estarán doradas y crocantes

## Verduras

| | |
|---|---|
| **Tomates** | Lavar, secar y acomodar en latas sin que se toquen entre sí. Congelar hasta que estén duros como rocas. Guardar en una bolsa. No sirven para ensaladas, solo para salsas y aderezos. Se conservan 12 meses. Licuados y cocinados en aceite y condimentados, se conservan 6 meses. |
| **Espinacas** | Lavar y acomodarlas en un colador. Sumergir en agua hirviendo por 2 minutos. Escurrir y pasar por agua helada. Secar las hojas y embolsar. Se conservan 12 meses. |
| **Champiñones** | En láminas o enteros, sumergir en agua hirviendo 2 minutos. Secarlos, rociar con limón y envasarlos. Se utilizan en salsas y *omelettes*. Se conservan 6 meses. |

| Alcachofas | Hervir los corazones. Colocarlos en agua helada, secarles y guardarlos (para pasteles, budines, etcétera). Se conservan 6 meses. |
| Pimientos | Lavar y secar. Acomodar como los tomates. Se conservan 6 meses. Rellenos ya cocidos, se conservan 3 meses. |
| Choclos | Una vez cocinados, sumergirlos en agua helada. Se conservan 10 a 12 meses |
| Papas | Preparadas en puré, como croquetas o fritas. Se conservan 4 meses. |
| Zanahorias | Cocidas, se conservan 6 meses. Crudas en cuadraditos, se conservan 3 meses. |

## Frutas

Casi todas las frutas se pueden congelar crudas, pero se conservan mejor en compotas.

| Duraznos | Crudos, espolvorearlos en azúcar y jugo de limón. Se conservan 6 meses. |
| Melón | Pelar, cortar y rociar con jugo de limón. Se conservan 6 meses. |
| Fresas | Lavar y acomodarlas en latas hasta que se pongan duras. Envasar. Se conservan de 10 a 12 meses. |
| Piña | Crudas o en almíbar. |
| Manzanas | En almíbar o compota. |

## Aves

Crudas, se conservan 6 meses. Cocidas, al horno o guisos, se conservan 6 meses.

## Carnes

Las milanesas de pollo, pescado o carne se congelan apanadas, primero por separado, y después se embolsan. Se fríen sin descongelar.

| Molida | Preparada como hamburguesas o sola, se conserva 3 meses. |
| Hígado | Cocido o crudo, se conserva 3 meses. |
| De cerdo | Cruda, se conserva 6 meses. Cocida, se conserva 12 meses. |
| De cordero | Cruda o cocida, se conserva de 6 a 8 meses. |

# Pescado
Crudo, se conserva 1 mes. Cocido, 2 meses.

# Mariscos
Limpios, se conservan 3 meses.

# Masas
Crudas, se conservan de 3 a 4 meses. Cocidas (panes, panqueques, *pizzas*) de 3 a 6 meses.

# Pastas
Cocidas, se conservan de 3 a 4 meses.
Los tallarines se guardan en bolsas o paquetes bien cerrados. Para cocinar no se descongelan.
Los ñoquis se acomodan en una fuente por separado. Una vez duros, se pueden embolsar. Se hace lo mismo con los ravioles.

# Cómo descongelar alimentos
Cuando necesite descongelar, retire el alimento del congelador y llévelo a la refrigeradora. Nunca debe descongelar a temperatura ambiente. Si desea, puede utilizar su microondas.

# Cocinando en microondas

Cocine su receta preferida en microondas:

• En un horno a microondas puede cocinar prácticamente los mismos alimentos que en la cocina tradicional, pero los resultados no son necesariamente los mismos. Las comidas que tienen una superficie seca, crocante y dorada —como milanesas, *pizzas*, carnes doradas, empanadas y frituras— no quedan igual.

• En cambio, todo lo que se cocina al vapor, a la cacerola, o que se sirve salseado, glaseado o bañado, queda excelente.

• Reduzca a la mitad los líquidos, ya que la evaporación es escasa.

• Como regla general, empiece cocinando poco los alimentos. Calcule una cuarte parte de lo indicado en su receta. Si fuera necesario, después puede agregar más.

• El tamaño y la forma de los alimentos influyen en el tiempo de cocción.

• Cuanto más pequeños son los trozos, más rápido se cocinan.

• A mayor cantidad de comida, es necesario calcular más tiempo de cocción. Cuanto más denso es el alimento (por ejemplo, carne), mayor potencia requiere y más tiempo tarda en cocinarse.

• No condimente demasiado los alimentos porque el microondas intensifica los sabores.

• Como en la cocina convencional, los alimentos más grandes y duros tardan más en cocinarse. Colóquelos primero.

## ¿Cómo ahorrar tiempo con el microondas?

• Para que el recalentado sea realmente rápido, hay que tomar algunas precauciones:
• Todos los alimentos deben estar a la misma temperatura, ya sea del refrigerador o a temperatura ambiente.
• Acomode las piezas grandes y de mayor densidad (como el pollo) en la parte externa del plato, y los alimentos más fáciles de calentar (como el arroz), en la parte interna.
• Cubra los platos con papel adherente y llévelos al microondas hasta que estén a la temperatura deseada.
• Un dato importante: cada tanto debe rotar el plato para que se caliente en forma pareja (en caso de no tener plato giratorio).
• No es conveniente calentar comida congelada. Lo ideal es descongelarla primero.
• Para calentar el pan, envuélvalo en papel toalla y llévelo entre 15 y 30 segundos al microondas.

## Tiempos de cocción y reposo

• En la cocina tradicional, cuando un alimento es cocinado más de lo indicado, se quema. En la cocina a microondas se producen efectos diferentes. Algunos alimentos se endurecen, algunos se secan y otros explotan. Por eso es muy importante respetar los tiempos de cocción indicados en cada receta.
• La fricción de moléculas que produce el microondas no se detiene en el mismo momento en el que sacamos la comida del microondas. Mientras las moléculas se muevan, los alimentos seguirán en proceso de cocción. De ahí la importancia del tiempo de reposo. Durante este lapso se estabilizan los jugos de cocción de las carnes y se completa la absorción de líquidos de salsas, guisos y arroces. Es aconsejable dejar la comida tapada durante el reposo.
• La cocina a microondas demora aproximadamente la cuarta parte de la cocina convencional. Tenga en cuenta esto al adaptar una receta y espere al menos 5 minutos de reposo antes de comprobar si está a punto.

## Cuidado con la sal

La cocción por microondas intensifica los sabores. Reduzca a la mitad los condimentos de sus recetas tradicionales. Salvo que la receta indique lo contrario, condimente los alimentos a último momento.

## Tapar

Todos los alimentos se cocinan y calientan mejor tapados. Esto hace que se acelere el proceso al retener la humedad se evitan salpicaduras y se logra el punto de ebullición. Puede tapar los recipientes con sus propias tapas o con platos dados vuelta. La mejor manera de hacerlo es con papel adherente. En este caso, haga unas perforaciones para que pueda salir el vapor de agua.

## Coberturas

• En general, y a pesar de lo que algunos fabricantes de microondas prometen, los alimentos no se doran como en la cocina convencional. Para mejorar su presentación, podemos recurrir a agentes doradores:
• Para preparaciones dulces: bizcochos o galletas molidas, solos o mezclados con cocoa o canela, almendras y nueces picadas, caramelo líquido.
• Para carnes: 1 parte de aceite con 1 parte de mostaza, aceite con pimentón, *curry*, sillao con pan rallado, aceite y hierbas, copos de maíz triturados mezclados con perejil y orégano.
• Para masas: pincélelas con leche, yema de huevo o mantequilla, y luego espolvoréelas con ajonjolí, semillas de amapola o anís. Si no desea dorarlas, puede cubrirlas con glasé, chocolate cobertura, mazapán, caramelo o canela.

## Tips

**Almendras, maní, nueces tostadas:** Tueste frutas secas en un poco de mantequilla. Remuévalas durante el proceso. Hágalo por poco tiempo, porque durante el reposo siguen tostándose y podrían quedar amargas.

**Almíbar** Prepare un almíbar sencillo con 2 medidas de agua por 1 de azúcar. Cocine un par de minutos al 100 por ciento.

**Caramelo:** Para acaramelar una flanera mediana, humedezca 150 g de azúcar con 5 cdas. de agua y 1 de limón (el azúcar debe quedar mojada, pero no empapada). Lleve al microondas entre 5 y 7 minutos al 100 por ciento.

**Crutones:** Corte el pan en daditos y extiéndalos sobre un plato. Llévelos 5 minutos en potencia máxima, removiendo de vez en cuando. Déjelos enfriar y conserve en un recipiente hermético.

**Frutas secas:** Rocíelas con agua, tápelas y colóquelas 1 minuto en potencia máxima, removiéndolas de vez en cuando. Se dejan reposar tapadas entre 2 y 3 minutos. Se puede sustituir el agua por coñac o brandy.

**Gelatina diluida en colapez:** Espolvoree 1 cdta. de gelatina sobre 3 cdas. de líquido. Deje reposar. Lleve al microondas ½ minuto al 100 por ciento. Debe quedar transparente.

**Hierbas secas:** Colóquelas entre 2 servilletas de papel y cocine en potencia máxima 1 minuto. Invierta el envoltorio y cocine 1 minuto más. Antes de guardarlas en frascos herméticos, frote las servilletas para desmenuzarlas.

**Mantequilla derretida:** Calcule 1 minuto al 50 por ciento por cada 50 g de mantequilla.

**Menestras hidratadas:** Lentejas, garbanzos o frejoles se hidratan cubiertos de agua y tapados entre 8 y 10 minutos en potencia máxima. Hierva 2 minutos y deje reposar 1 hora.

**Mermelada de fresas:** Lave 500 g de fresas, saque los cabitos y procéselas. Mezcle con 350 g de azúcar, unas gotas de limón y unas gotas de aceite vegetal. Lleve al microondas de 12 a 14 minutos al 100 por ciento de potencia (temperatura máxima).

**Papas fritas:** Pele las papas y córtelas en bastoncitos como de costumbre. Séquelas con un secador. Colóquelas en una fuente separadas y cocínelas 6 minutos al 100 por ciento hasta que estén tiernas. Mientras tanto, caliente el aceite en la cocina convencional. Coloque las papas en la sartén hasta que doren. Escúrralas en papel absorbente.

**Tomates sin piel:** Se pone agua a hervir (4 tazas tardan 10 minutos al 100 por ciento) y luego se meten en ella los tomates. Se dejan 1 o 2 minutos y luego se pasan por agua fría.

# Verduras

Las ventajas de cocinar verduras en microondas son innumerables. Los tiempos son cortísimos y no hace falta ensuciar mucha vajilla. Puede cocinar en bolsas o en el mismo plato que va a llevar a la mesa. Se puede hervir, asar, brasear y rehogar todo tipo de verduras.

## Tabla de cocción

| | | | |
|---|---|---|---|
| **Alcachofas** | 4 | Con 1 taza de agua y sal* | De 12 a 14' |
| **Arvejas** | 1 kg | Con ½ taza de agua y sal* | Entre 8 y 9' |
| **Berenjenas** | 1 kg | Con la piel perforada y en círculo | 20' |
| **Beterragas** | 1 kg | En una bolsa con ½ taza de agua | 16' |
| **Brócolis** | 750 g | Ramitos separados con ½ taza de agua | 14' |
| **Camotes** | 1 kg | Enteros con la piel perforada | 16' |
| **Cebollas** | 1 | Sin piel y perforadas | 3' |
| **Choclo** | 4 | Enteros* | 8' |
| **Col** | 500 g | Cortada en tiras finas* | De 9 a 12' |
| **Coliflor** | 1 mediana | Con ½ taza de agua* | Entre 8 y 9' |
| **Espárragos** | 750 g | Con las puntas hacia adentro* | Entre 9 y 11' |
| **Espinacas** | 500 g | Con el agua de lavado y sal* | 7' |
| **Papas** | 4 (600 g) | Con la cáscara perforada | 9' |
| **Pimientos** | 400 g | En círculo en el piso del microondas | 10' |

| Vainitas | 500 g | Con ¾ de taza de agua* | De 8 a 12' |
|---|---|---|---|
| Zapallitos | 1 kg | En mitades sobre el piso del microondas | 18' |
| Zapallos | ½ kg | En trozos con ¾ de taza de agua | 6' |

(*) En recipiente cubierto.

Todas las verduras se cocinan al 100 por ciento de potencia, se dan vuelta o revuelven a mitad de la cocción y se dejan reposar unos minutos.

# Recetas

# Entradas

# Ají de atún

## Ingredientes
(Para 4-6 porciones)

2 panes franceses
½ taza de leche
1/3 de taza de aceite
½ taza de cebolla picada
Ají molido al gusto

2 latas de atún
Papas sancochadas
Aceitunas
1 huevo duro

## Preparación
Remojar el pan en la leche y deshacerlo. Calentar el aceite y freír la cebolla y el ají. Salpimentar al gusto. Cocinar unos minutos. Agregar el pan y cocinar 5 minutos, moviendo constantemente. Añadir el atún desmenuzado. Dar un hervor y servir acompañado de papas, huevo duro y aceitunas.

# Ají de huevos

## Ingredientes
(Para 4-6 porciones)

½ taza de a.ceite
½ kg de carne de cerdo cocido
2 cebollas finamente picadas
1 cdta. de pimentón

6 huevos
6 papas sancochadas
Sal, pimienta y ají molido al gusto

## Preparación

Calentar el aceite y freír hasta dorar la carne de cerdo cortada en trozos pequeños y previamente cocida. Incorporar la cebolla, el pimentón, la sal, la pimienta y el ají. Cocinar unos minutos y añadir los huevos mezclados. Dejar que cuaje y servir sobre las papas sancochadas.

# Alitas de pollo escabechadas [nueva receta]

## Ingredientes
(Para 4-6 porciones)

12 alitas de pollo
Harina en cantidad necesaria
Sal y pimienta al gusto
½ taza de aceite

4 dientes de ajo picados
2 hojas de laurel
1 cebolla cortada en aros
1 cdta. de pimentón

## Preparación

Salpimentar y enharinar las alitas, freírlas en el aceite caliente, retirarlas sobre papel absorbente y luego ponerlas en un recipiente. Freír en el mismo aceite ajos, laurel, cebolla y pimentón. Agregar el tomillo, el vinagre y la miel. Dejar hervir y volcar esta mezcla sobre las alitas. Dejar macerar por 6 horas o desde el día anterior. Si prefiere, reemplace las alitas de pollo por trocitos de pechuga o pierna de pollo.

# Anticuchos de corazón

## Ingredientes
(Para 4-6 porciones)

1 corazón de vaca
1 cda. de ajos molidos
Sal y pimienta al gusto
½ cdta. de comino
2 Cdas. de orégano

½ taza de vinagre
1 taza de cerveza negra
Ají verde al gusto
4 cdas, de ají panca molido

## Preparación

Cortar el corazón en trozos chicos y enjuagarlos bien. Condimentar con ajos, sal, pimienta, comino, orégano, vinagre, cerveza, ají verde y ají panca. Dejar reposar 2 horas por lo menos. Ensartar en los palitos 3 o 4 trozos y cocinarlos en la parrilla. Mientras se cocinan, se untan con el aderezo con una brocha hecha de tiras de panca de choclo, cuidando que no se sequen. Servir con papas y choclos sancochados y ají molido solo o mezclado con cebolla china.

## Variación

Pulpo anticuchero: cocinar el pulpo y luego armar los anticuchos con los sabores de la preparación de anticuchos de corazón.

# Anticuchos de pescado

## Ingredientes
(Para 4-6 porciones)

1 ½ kg de pescado
2 cdas. de ají panca molido
½ taza de vinagre
Sal, pimienta, achiote y comino al gusto

## Preparación

Cortar el pescado en cuadrados de 3 cm y ponerlos a macerar 1 hora en la mezcla de vinagre, ajos, ají, achiote, sal, pimienta y comino. Insertar los pedazos de pescado en cañitas o alambres. Cocinar en el brasero o a la plancha. Servir con la salsa de ají.

## Salsa de ají:
Soasar 3 ajíes verdes y 2 dientes de ajo. Freídos en aceite y licuar agregando más aceite si fuera necesario. Agregar sal a gusto y 3 cucharadas de cebollita china picada finamente.

# Brochetas de pollo al kion [nueva receta] y salsa agridulce

## Ingredientes
(Para 4-6 porciones)

| | | |
|---|---|---|
| 500 g de pechugas de pollo | 3 cdas. de sillao | 1 diente de ajo |
| 3-4 cebollas | 3 cdas. de azúcar | 2 cdas, de aceite |
| 3 cdas. de vinagre de vino blanco | Kion fresco rallado o seco en polvo Sal | |

## Preparación

Limpiar las pechugas, cortar en dados y dejar marinar ½ hora en una fuente con el vinagre, el sillao, el azúcar, el kion, el ajo picado, el aceite y una pizca de sal. Pelar las cebollas, quitar la parte más verde y cortar por la mitad. Ensartar los dados de pollo en los palillos, alternándolos con la cebolla. Cocer en la plancha o en la parrilla durante 6 o 7 minutos, rociándolas a menudo con la salsa marinada. Servir muy calientes acompañadas con la salsa.

### Salsa agridulce
En una olla mezclar 1 cda. de maicena con 1 taza de caldo, 3 cdas. de puré de tomate y ¼ de taza de vinagre. Agregar 5 cdas. de azúcar y una pizca de sal y ají al gusto. Cocer la salsa a fuego moderado, sin dejar de mezclar, hasta que espese. Dejar enfriar removiendo de vez en cuando. También quedan muy bien las brochetas de pollo con verduras o las de cerdo con tocino, piña y manzana, acompañadas con una salsa al gusto.

# *Carpaccio* de lomo [ nueva receta ]

| Ingredientes | Vinagreta | Acompañamiento |
|---|---|---|
| **(Para 4-6 porciones)** | | |
| 200 g de lomo fino congelado | 4 cdas. de aceite de oliva | 1 ½ cdas. de alcaparras |
| | 1 cda. de vinagre rojo o balsámico | escurridas |
| | ½ cda. de mostaza (puede ser de | Láminas de parmesano |
| | Dijón) | Sal y pimienta al gusto |
| | 4 cdas. de jugo de limón | |

## Preparación

Mezclar los ingredientes de la vinagreta. Cortar el lomo en finas láminas y acomodarlas ordenadamente en cada plato. Sazonar con sal y pimienta al gusto (si la pimienta es recién molida, mejor). Bañar con la vinagreta, salpicar con las alcaparras y decorar con las láminas de queso. Servir bien frío.

Si envuelve el lomo en papel film bien apretado y lo congela, podrá cortar el lomo en láminas delgadas. Para las láminas de parmesano, córtelas con el pelapapas. Para acriollar el *carpaccio*, batir aceite de oliva con crema de ají amarillo, mostaza y jugo de limón, hasta formar una crema para verter sobre la carne y la salsa. En lugar de las alcaparras, usar ½ cebolla y ½ ají limo bien picados.

# Causa rellena

## Ingredientes
(Para 4-6 porciones)

1½ kg de papa amarilla o a elección
Aceite en cantidad necesaria
Ají verde molido
Limón al gusto
Sal y pimienta al gusto

## Relleno

1 lata de atún o 1 ½ tazas de pollo
sancochado y deshilachaado
1 taza de mayonesa
1 palta
1 huevo duro

½ taza de cebolla picada
Aceitunas sin pepas cortadas
en tiras
Perejil picado

## Preparación

Cocinar las papas en agua con sal y pelarlas en caliente. Pasarlas por el prensapapas y amasar con el aceite, el ají, el jugo de limón, la sal y la pimienta. Dividir en 3 porciones. Con la primera forrar el fondo de un molde desarmable de 24 cm de diámetro, aceitado. Colocar encima el atún mezclado con ½ taza de mayonesa y las aceitunas. Cubrir con otra porción de papa y acomodar el resto de la mayonesa, la palta en tajadas, el huevo en rodajas y la cebolla. Cubrir con el resto de papa. Dejar reposar por ½ hora y decorar con huevos duros, perejil picado, lechuga o tomate.

## Variación

El atún puede reemplazarse por jamón, verduras cocidas, camarones, langostinos, cangrejo (lo venden listo y desmenuzado para ser utilizado). También puede prepararse como un pionono, estirando toda la masa sobre papel film. Cubrir con el relleno elegido y enrollar o preparar pequeñas causas personales

# Cebiche de champiñones

## Ingredientes
(Para 4-6 porciones)

350 g de champiñones
¼ de taza de jugo de limón
Sal y pimienta al gusto

½ cda. de salsa inglesa
2 dientes de ajo picados

2 cdas. de aceite de oliva
Ají limo al gusto

Causa rellena

## Preparación

Limpiar los champiñones con un paño o papel húmedo. Cortarlos en láminas de ½ cm de espesor. Ponerlos en un recipiente, cubrir totalmente con el jugo de limón y condimentar con sal y pimienta, ajos picados, salsa inglesa, aceite y ají limo. Dejar reposar 5 minutos y servir. Recuerde que los champiñones no deben remojarse en agua, porque son como una esponja y absorben todo.

# Cebiche de pescado

## Ingredientes
(para 4-6 porciones)

1 kg. de pescado del día
1 taza de jugo de limón con
½ cdta. de pisco (opcional)
1 diente de ajo picado
1 ají fresco picado (limo o verde)
¼ de taza de apio picado (opcional)

¼ de cdta. de kión rallado (opcional)
1 cebolla grande cortada a la pluma
1 rocoto en rodajas
1 cda. de culatro picado
2 cubitos de hielo
1 taza de cancha o choclo sancochado

## Preparación

Lavar el pescado y cortarlo en cubos. Sazonar con sal y pimienta. Cubrir con el jugo de limón. Agregar el ajo, el ají, el apio, el kion y el hielo. Dejar reposar unos  minutos y servir sobre hojas de lechuga y colocar encima la cebolla.
Servir con la cancha, el choclo y los camotes sancochados.
Adornar con las rodajas de rocoto y espolvorear con el culantro picado.

## Leche de tigre
Es el jugo del cebiche. Si queremos servirlo como cóctel, mezclar el jugo de 6 limones, 2 dientes de ajo molidos, 1 cda. de ají amarillo molido, ½ cda. de ají limo molido y 1 vaso de pisco. Se presenta en vasitos o en copas.

# Chicharrones

## Ingredientes
(Para 4-6 porciones)

1 kg de carne de cerdo
Sal y agua
1 ramita de hierbabuena

## Preparación

Cortar la carne en trozos medianos, cubrirlos con agua y agregar la hierbabuena y sal al gusto. Hervir hasta que el agua se consuma y, con la grasa que suelta, se vaya friendo. Si el recipiente no tuviera suficiente grasa al consumirse el agua, añadir 2 cdas. de manteca de cerdo o vegetal y esperar que la carne se dore. Servir acompañado de salsa criolla y camote o de pan francés.

## De pollo

Cortar 3 pechugas en cubos de 3 cm. Condimentar con 1 cda. de azúcar y 1 cda. de sillao. Macerar por 30 minutos y freír en abundante aceite caliente. Retirar sobre papel absorbente y servir con jugo de limón. Son agradables también como piqueo.

# Chicharrones de pollo

## Ingredientes
(Para 6-8 porciones)

3 pechugas de pollo
3 cdtas. de sal
1 cdta. de azúcar
1 cda. de sillao
Aceite para freír

## Preparación

Cortar las pechugas de pollo en cubos de 3 cm. Incorporar la sal, el azúcar y el sillao. Mezclar bien y dejar macerar durante 30 minutos. Freír en abundante aceite caliente y retirar sobre papel absorbente. Servir con jugo de limón.

# Choros a la chalaca [nueva receta]

## Ingredientes
(Para 4-6 porciones)

2 docenas de choros
2 cebollas picadas en cuadraditos
2 cdas. de rocoto picado en cuadraditos

2 cdas. de perejil picado
1 tomate pelado y picado
1 taza de choclo cocido

Jugo de 7 limones
2 cdas. de aceite
Sal y pimienta al gusto

## Preparación

Limpiar bien los choros retirándoles las barbas, bajo el chorro de agua y con ayuda de un cuchillo, desechando los que estén abiertos. Sancochar los choros en abundante agua, dar un hervor e ir retirando los que se abren, para que no se recocinen. Eliminar los que no se hayan abierto. En un tazón, mezclar cebolla, rocoto, perejil, tomate, ají, jugo de los limones, sal, pimienta y aceite. Dejar reposar por unos 5 minutos y colocar 1 cda. de esta mezcla sobre cada choro. Servir inmediatamente. Se pueden servir tibios y rociados con unas gotas de aceite de oliva.

# Cóctel de langostinos o camarones [nueva receta]

## Ingredientes
(Para 4-6 porciones)

½ kg de colas de langostinos
o camarones
Sal y pimienta
1 palta

Jugo de limón
1 taza de salsa golf
4-6 copas

## Preparación

Pelar, limpiar y cocinar las colas de langostinos o camarones en agua hirviendo con sal y pimienta durante 3 minutos. Apenas cambien de color, colar, escurrir y enfriar.
Cortar la palta en tajadas del tamaño de un bocado y rociarlas con jugo de limón, para que no se oscurezcan. Poner en cada copa 1 cda. de salsa golf. Acomodar las colas de langostinos y, entre ellas, las tajadas de palta. Adornar las copas con colas. Poner salsa golf en una salsera adicional.
Para limpiar las colas de los langostinos, retirar la cascara y quitarles el tubo digestivo cortando ligeramente el lomo (o con ayuda de una pinza).

# Conchitas a la parmesana

## Ingredientes
(Para 4-6 porciones)

2 docenas de conchas
100 g de mantequilla
Jugo de limón

100 g de queso parmesano
Limón en cuñas para servir

## Preparación

Limpiar las conchas. Salpimentarlas. Cubrir con queso parmesano y ¼ de cdta. de mantequilla y gotas de jugo de limón. Llevar al horno de 175°C o 350°F durante 8 a 10 minutos o hasta que el queso se derrita. Si no tiene horno, puede usar una sartén que contenga 2 cm de agua. Colocar las conchitas, tapar la sartén y cocinar por 3 a 4 minutos. Servir con rodajas de limón.
Si desea, poner en cada valva ½ cda. de salsa huancaína y seguir la receta.

# Corazones de alcachofas gratinados [nueva receta]

## Ingredientes
(Para 6 porciones)

6 corazones de alcachofa
2 choclos tiernos
2 lonjas de tocino picado y frito

1 taza de salsa blanca
3 cdas. de queso parmesano rallado

## Preparación
Cocinar los corazones de alcachofa en agua con sal y 1 cdta. de harina, para que no se oscurezcan. Sancochar los choclos y desgranarlos. Acomodar los corazones en una fuente para horno, aceitada, que pueda ir del horno a la mesa. Preparar la salsa blanca. Agregar los granos de choclo cocidos y escurridos, y el tocino picado y frito. Condimentar al gusto. Rellenar los corazones con la crema. Espolvorear el queso parmesano rallado y gratinar a horno caliente (200°C o 400°F) unos minutos antes de servir.

# Croquetas de atún

## Ingredientes
(Para 4-6 porciones)

3 cdas. de margarina
1/3 de taza de harina
1 taza de leche fresca
o evaporada terciada

Sal, pimienta y nuez moscada
al gusto
2 latas de atún
2 cdas. de perejil picado

2 cdas. de jugo de limón
1 huevo
Pan rallado
Aceite para freír

## Preparación

Derretir la margarina, Incorporar la harina. Mezclar y agregar poco a poco la leche caliente, sin dejar de mover. Sazonar con sal, pimienta y nuez moscada. Dejar enfriar con un plástico adherido a la salsa, para evitar que se forme nata. Mezclar con los demás ingredientes. Humedecerse las manos y formar las croquetas. Pasar por huevo batido y pan rallado. Freír en abundante aceite durante 7 a 8 minutos. Retirar sobre papel absorbente.

# Empanadas

## Ingredientes
(Para 12-14 porciones)

### Masa
1 kg de harina
1½ tazas de leche tibia
1 yema
1 cdta. de sal
125 g de margarina
125g de manteca

### Relleno
½taza de aceite
1 kg de cebolla
½ kg de carne molida
Sal, pimienta, pimentón y orégano

3 huevos duros
100 g de aceitunas
½ taza de pasas

## Preparación

### Masa:
Cernir la harina en un tazón. Hacer un hueco al centro y ubicar dentro la leche, la yema, la sal, la margarina blanda y la manteca derretida y tibia. Unir todos los ingredientes y trabajar bien hasta obtener una masa lisa. Dejar descansar tapada con un paño seco.

## Relleno:

Calentar el aceite y cocinar la cebolla picada hasta que esté transparente. Añadir la carne. Revolver y condimentar. Cocinar hasta que cambie de color. Retirar y dejar enfriar.

## Armado:

Estirar la masa y cortar discos de 10 cm de diámetro. Colocar una porción del relleno en cada uno, 1 trocito de huevo duro, 1 aceituna y pasas. Humedecer los bordes con agua, doblar la masa cubriendo el relleno y cerrar bien. Pincelarlas con huevo. Hornear las empanadas a temperatura alta (200°C o 400°F) sobre latas para horno, por 15 minutos o hasta dorar. También puede rellenarlas con lomo saltado (escurrido), ají de gallina, quinua sancochada aderezada, o huevos duros, aceitunas y queso paria u otro, rallado.

# Empanadas salteñas [nueva receta]

### Ingredientes
(Para 10-12 porciones)

## Masa

1 kg de harina
300 g de margarina
(puede ser manteca)
1 cda. de sal
Cantidad necesaria de agua
(2 tazas aprox.)

## Relleno

300 g de margarina
4 cebollas picadas
1 tomate picado
1 kg de carne sancochada y
cortada en daditos chicos
1 cda. de comino
1 papa cocida y en cubitos

1 cda. de harina
½ taza de agua caliente
1 cubito de caldo
2 huevos duros picados
100 g de aceitunas verdes picadas
100 g de pasas
½ cdta. de ají molido

## Preparación:

## Masa:

Poner la harina en un bol. Hacer un hueco al centro y colocar la margarina o la manteca y la sal. Incorporar el agua poco a poco. Armar la masa, trabajándola hasta que quede lisa, suave y elástica. Dejar descansar cubierta con un paño seco.

## Relleno:

Dorar la cebolla en la mantequilla y añadir el tomate. Revolver y retirar del fuego. Poner la carne, el comino, la papa, la harina y el caldo preparado con el cubito de carne disuelto en agua caliente. Colocar nuevamente en la hornilla y dejar hervir a fuego bajo, revolviendo para que no se queme. Retirar del fuego, dejar enfriar y añadir los huevos duros picados, las aceitunas y las pasas. Condimentar con sal y el ají molido.

## Armado:

Dividir la masa en bolitas y estirarlas finamente. Poner sobre cada una un poco del relleno y humedecer con agua los bordes. Cerrar formando la empanada con la unión hacia arriba. Cocinarlas en homo caliente (200°C o 400°F) durante 15 minutos. Servir enseguida.

# Escabeche de pescado

## Ingredientes
(Para 4-6 porciones)

½ taza de vinagre
2 cebollas grandes cortadas
en cuñas
2 ajíes verdes en rajas
1 rama de hierbabuena

6 trozos de pescado
Sal, pimienta y comino al gusto
Harina en cantidad necesaria
Aceite en cantidad necesaria
4 ajíes mirasol molidos

2 dientes de ajo picados
Hojas de lechuga
Camote
Huevo duro
Aceitunas de botija

## Preparación

Colocar el vinagre en un tazón. Incorporar la cebolla, los ajíes verdes, la hierbabuena y condimentar con sal, pimienta y comino. Dejar por 1 hora. Lavar y secar el pescado. Salpimentarlo y pasarlo por harina. Freír en aceite caliente y reservar. Cocinar en aceite, los ajos y el ají molido. Agregar el vinagre, la cebolla y el ají. Dar un hervor y volcar caliente sobre los filetes de pescado. Dejar enfriar y servir sobre hojas de lechuga. Acompañar con choclos y camotes sancochados. Adornar con el huevo duro en trozos y las aceitunas. Preparado 1 o 2 días antes es mucho más sabroso.

# Escabeche de Pollo

## Ingredientes
(Para 4-6 porciones)

1 kg de cebolla
2 ajíes verdes enteros
1 ½ tazas de vinagre
2 ramitas de hierbabuena
1 cda. de pimienta negra
entera

2 o 3 pechugas de pollo
cocidas
½ taza de aceite
2 dientes de ajo picado
2 cdas. de ají panca molido
o pasta de ají

Ají verde molido al gusto
Hojas de lechuga, huevos
duros, aceitunas, rodajas de
choclo y camote

## Preparación

Cortar las cebollas en rajas y el ají en tiras. Colocarlos en un recipiente, añadir el vinagre, la hierbabuena la pimienta (envuelta en una gasa). Tapar y dejar descansar por lo menos durante 3 horas. Sancochar el pollo con sal y algunas verduras. Dejar enfriar en su mismo caldo. Cortar el pollo en trozos medianos. En una olla colocar el aceite y freír los ajos y los dos tipos de ají molidos. Incorporar la cebolla con el vinagre y rectificar la sazón. Dar un hervor, agregar el pollo y dejar enfriar. Acomodar en una fuente el pollo con las cebollas y la salsa. Decorar con los huevos duros, las aceitunas, las rodajas de choclo, la lechuga y los camotes sancochados.

**Escabeche de pescado**

# Flan de alcachofas y variaciones

## Ingredientes
(Para 6-8 porciones)

6 huevos
1 ¾ tazas de leche evaporada
Sal y pimienta al gusto
1 pizca de nuez moscada

¼ de taza de margarina derretida
½ taza de queso parmesano rallado
6-8 corazones de alcachofa cocidos al dente

## Preparación

Colocar los huevos en un tazón y mezclarlos bien. Agregar la leche, la sal, la pimienta, la nuez moscada, la margarina, el queso y las alcachofas partidas en trozos pequeños. Volcar la mezcla en un molde de 30 cm x 20 cm enmantequillado. Hornear a temperatura moderada (175°C o 350°F), hasta que cuaje. Puede servirse solo o bañado con una salsa blanca ligera.

## Variaciones
Si desea reemplazar la alcachofa por 2 tazas de brócoli, esparrágos, coliflor o verduras mixtas o fideos cortos cocidos.

# Huevos a la rusa

## Ingredientes
(Para 6 porciones)

2 tazas de papas sancochadas cortadas en cuadraditos
1 taza de zanahorias sancochadas cortadas en cuadraditos
½ taza de arvejas sancochadas
Mayonesa
6 huevos duros

## Preparación

Mezclar las verduras sancochadas y frías con mayonesa bien condimentada. Repartir en 6 platos. Acomodar 2 mitades de huevos duros sobre la ensalada rusa, colocando la parte del corte hacia abajo. Bañar con salsa golf y decorar con ramitas de perejil y cuñas de tomate.

# Hueveras con salsa criolla

## Ingredientes
(Para 6-8 porciones)

6 hueveras frescas
Sal y pimienta
Harina en cantidad necesaria
Aceite en cantidad necesaria

## Salsa criolla

1 cebolla cortada a la pluma
2 ajíes verdes picados finamente
1 tomate pelado y picado en cuadraditos

1 cda. de culantro picado
Jugo de 1 limón
Sal y pimienta

## Preparación
Lavar las hueveras, partirlas por la mitad y sazonarlas con sal y pimienta. Pasarlas por la harina. Freirías en aceite bien caliente hasta dorarlas.

## Salsa criolla
Mezclar todos los ingredientes y dejar reposar 10 minutos. Servir con las hueveras, las papas sancochadas y las hojas de lechuga.
También se sirven como segundo, con arroz y papas doradas.

# Jamón del país

## Ingredientes
(Para 18-20 porciones)

1 pierna de cerdo sin cuero
2 cebollas
1 zanahoria
1 puñado de sal

2 cdas. de ajo picado
¼ de cdta. de comino molido
1 cda. de achiote frito en 2 cdas, de aceite

1 taza de ají panca molido
1 cda. de vinagre
Sal y pimienta

## Preparación
Poner a cocinar el cerdo por 1 hora en un recipiente grande, con agua que lo cubra, junto con las cebollas, la zanahoria y el puñado de sal. Retirar y colocar el cerdo en una asadera con 2 tazas del líquido de cocción. Mezclar los ajos, el comino, el achiote, el ají, el vinagre, la sal y la pimienta. Frotar la carne con esta mezcla y dejar macerar por 2 o 3 horas. Hacer tajos en la pierna para que penetren las especias. Cocinar a horno moderado (175°C o 350°F), hasta que dore de un lado. Acto seguido, dar vuelta a la pierna y hacer lo mismo con el otro lado. Servir acompañado de ensaladas. Es ideal para preparar butifarras.

# Jamón glaseado

## Ingredientes
(Para 20-25 porciones)

1 jamón tipo inglés de 2 a 3 kg
10 clavos de olor
½ taza de vino blanco
½ taza de jugo de piña

1 taza de azúcar rubia
½ taza de miel de abejas
Jugo de 1 limón

## Preparación

Hacer tajos en forma de rombos en la parte superior del jamón e hincarles los clavos de olor en cada cruce. Colocar el jamón en una fuente que pueda ir al horno. Rociar con el licor, tapar y llevar a cocinar a temperatura moderada (175°C o 350°F) durante ½ hora. Retirar. Poner en una olla el jugo de piña, el azúcar, la miel y el jugo de limón. Hervir durante 10 minutos. Glasear el jamón con la preparación anterior y llevar a horno fuerte (200°C o 400°F) por unos 20 minutos, con la fuente destapada. Retirar. Dejar entibiar y volver a glasear, para que resulte bien brillante. Servir adornado con rodajas de piña, racimos de uvas y hojas verdes. Si gusta, cambie el glaseado de miel y el jugo de piña por la misma cantidad de mermelada de albaricoques y jugo de naranja.

# Mixtura de tacos [nueva receta]

## Ingredientes
(Para 4-6 porciones)

## De pollo
Deshilachar 1 pechuga de pollo sancochada previamente con 1 cebolla y 1 hoja de laurel. Preparar una salsa roja salteando 4 tomates pelados con 2 dientes de ajo y ají al gusto. Servir las tortillas de maíz, el pollo y la salsa por separado, para que cada uno pueda armar el taco a su gusto.

## De langostinos
Preparar un guacamole en forma rústica con 2 paltas maduras, 2 cdtas. de culantro picado, 1 tomate picado sin semillas, 1 cebolla finamente picada, el jugo de 2 limones, sal y pimienta. Marinar 400 g de langostinos durante 15 minutos en jugo de limón, sal y pimienta. Escurrir bien y rellenar las tortillas. Enrollarlas y cerrarlas sujetándolas con un palillo. Freír los tacos y escurrirlos sobre papel absorbente. Servir con el guacamole y los gajos de limón.

## Quesadillas

Picar 5 cebollas chinas. Saltearlas en aceite de oliva, sal y pimienta al gusto, salvia, tomillo o culantro picados y 1 cdta. de azúcar. Rellenar las tortillas con las cebollas y 200 g de *mozzarella* o queso mantecoso rallado. Asarlas dándoles la vuelta en una plancha bien caliente. Servirlas enseguida.

En el momento de servir sus tacos, acompañar con fréjoles aderezados enteros o licuados. También puede ofrecer carne de cerdo frita u horneada, deshilachada, mezclada con ají y cebolla. Los tacos se untan con el puré de frejoles. Luego se coloca el relleno al gusto. Cuando sirva tacos, acompañe también con rodajas de palta, culantro picado, sal y cuñas de limón.

# Ocopa

## Ingredientes
(Para 4-6 porciones)

¼ de taza de aceite
2 cdas. de pasta de ají mirasol
1 cebolla soasada
2 dientes de ajo
1 cda. de hojas de huacatay
1 cda. de hojas de culantro
¾ de taza de leche evaporada

3 galletas de soda
200 g de queso fresco
Aceite en cantidad necesaria
3 cdas. de maní tostado
Papas sancochadas
Huevos duros
Lechuga

## Preparación

Calentar el aceite. Incorporar la pasta de ají, la cebolla, el ajo, el culantro y el huacatay. Cocinar por unos minutos. Licuar la leche con la mezcla anterior, maní, galletas, queso fresco e ir agregando aceite. Debe quedar una crema semiespesa. Acomodar en una fuente las papas sancochadas y partidas en dos. Bañar con la salsa y adornar con los huevos duros y la lechuga.

# Ocopa de camarones

## Ingredientes
(Para 4-6 porciones)

2 cdas. de pasta de ají mirasol
Aceite en cantidad necesaria
1 cebolla grande
1 rama de huacatay (las hojas)
10 colas de camarones cocidas

8 nueces
150 g de queso fresco
¼ de taza de leche evaporada
Sal al gusto
3 huevos duros

6 papas sancochadas y peladas (amarilla, huayro, tumbay)
6 aceitunas de botija
Lechuga para acompañar

## Preparación

Calentar aceite y freír la cebolla cortada en trozos gruesos hasta que dore. Retirar del fuego y licuar con la pasta de ají, las hojas de huacatay, los camarones, las nueces, el queso fresco, la leche y la sal, hasta que quede una salsa cremosa. Colocar las papas en una fuente con huevos duros partidos por la mitad y cubrir con la salsa. Si desea, decorar con camarones, aceitunas y lechuga.

# *Omelette*

## Ingredientes
(Para 4-6 porciones)

5 huevos
2 cdas. de agua fría

Sal y pimienta al gusto
1 cda. de mantequilla o aceite

## Preparación

Colocar los huevos en un tazón con el agua fría y salpimentar al gusto. Batirlos ligeramente y reservar. Poner la mantequilla en una sartén. Llevar a fuego moderado hasta que se derrita y volcar la preparación anterior. Distribuir en forma pareja con una espátula hasta que cuaje. Cuando los bordes comienzan a despegarse, agregar, si desea, jamón picado o queso manteco-so. Doblar el *omelette* hacia un lado. Retirar y servir de inmediato en un plato.
Esta misma preparación puede realizarse al horno, enmantequillando 4 moldes bajos y espolvoreando pan rallado en cada uno. Llevar a un homo precalentado unos 10 minutos y retirar cuando se dore.
Los *omelettes* también quedan muy sabrosos si agregamos hierbas al gusto picadas (perejil, finas hierbas) al batido de huevos o si cambiamos el relleno por atún, pollo cocido, granos de choclo sancochados, arvejas, etcétera. El secreto es que queden jugosos por dentro.

# Palta rellena

## Ingredientes
(Para 4-6 porciones)

2 o 3 paltas medianas
Jugo de limón
1 papa sancochada en
cubitos

½ taza de apio picado
(opcional)
½ taza de arvejas cocidas
½ taza de zanahoria cocida

en cubos
¾ de taza de mayonesa
Sal y pimienta al gusto
2 huevos duros

## Preparación

Cortar las paltas por la mitad, retirarles las pepas, pelarlas y echarles el jugo de limón. Mezclar el resto de los ingredientes. Rectificar la sazón. Rellenar las paltas con esta preparación. Decorar con mayonesa y huevo duro. Puede agregarse al relleno pollo sancochado, atún, jamón, camarones, langostinos, etcétera.

# Papas a la huancaína

## Ingredientes
(Para 4-6 porciones)

4 ajíes verdes
2 yemas duras
200 g de queso fresco o
requesón
½ taza de leche

Jugo de 1 limón
¼ de taza de aceite
4-6 papas cocidas
Perejil picado
Ají verde picado al gusto

Sal y pimienta
2 claras de huevo duros muy
picadas
Aceitunas de botija
Lechuga para decorar

## Preparación

Quitar las pepas a los ajíes y darles 3 hervores con agua y 1 cdta. de azúcar. Escurrir y licuar con las yemas, queso, leche, jugo de limón y aceite hasta obtener una salsa de mediana consistencia. Acomodar en una fuente las papas peladas y en rodajas. Cubrir con la salsa. Servir con lechuga y decorar con aceitunas y las claras de huevo duro ralladas.

# Pastel de acelga

## Ingredientes
(Para 6-8 porciones)

### Masa

½ kg de harina
½ kg de manteca
2 yemas
½ taza de leche
1 cdta. de azúcar y
½ cdta. de sal

### Relleno

3 tazas de acelga sancochada, escurrida y picada
2 cebollas picadas y fritas
Sal, pimienta y nuez moscada
al gusto
1 taza de salsa blanca espesa

3 huevos ligeramente batidos
4 cdas. de queso parmesano
rallado
4 cdas. de pan rallado
4-6 huevos crudos

## Preparación

### Masa:
Poner la harina en un tazón. Incorporar la manteca y mezclarla con ayuda de un tenedor hasta convertir la masa en un granulado grueso. Agregar la leche con las yemas, la sal y el azúcar. Unir todo hasta formar un bollo. Dejar descansar a temperatura ambiente.

### Relleno:
Mezclar todos los ingredientes del relleno (reservar los huevos crudos enteros, aparte).

### Armado:
Enmantequillar y enharinar un molde desarmable de 26 cm de diámetro. Estirar la masa con un rodillo y cubrir el fondo y las paredes del molde. Recortar los bordes y volcar el relleno ya prepa-rado. Hacer hoyitos en el relleno y colocar en cada uno los huevos crudos. Cubrir con el mismo relleno. Unir y estirar los recortes de masa. Cortar tiras de 1 cm de ancho y colocarlas sobre el pastel, haciendo un enrejado. Hornear a temperatura moderada (175°C o 350°F) hasta cuajar.

# Pastel de alcachofas con masa

## Ingredientes
(Para 6-8 porciones)

### Masa

2½ tazas de harina
100 g de margarina
6 cdas. de agua helada con sal

### Relleno

½ taza de leche
5 huevos
5 cdas. de queso parmesano
1 cebolla picada

2 cdas. de margarina
6-8 corazones de alcachofas
cocidos
Sal y pimienta al gusto

## Preparación

### Masa:
Cernir la harina. Incorporar la margarina con ayuda de un tenedor, hasta formar una mezcla como arena gruesa. Añadir el agua y amasar lo suficiente para formar la masa. Dividir en dos. Extender la masa con ayuda de un tenedor, hasta formar agua y amasar lo suficiente para formar y forrar un molde desarmable de 25 cm de diámetro enmantequillado y enharinado.

### Relleno:
Mezclar en un tazón los huevos con la leche, el queso parmesano, la cebolla previamente frita en margarina y las alcachofas en trozos. Sazonar con sal y pimienta. Volcar encima del molde forrado y cubrir con el resto de la masa. Pintar la superficie con una yema diluida en 1 cda. de agua o leche. Llevar a un horno moderado (175°C 350°F) hasta que dore. Retirar y servir caliente.

Las alcachofas se pueden reemplazar por otras verduras cocidas, como brócoli, coliflor, vainitas, zanahorias o arvejas.

# Pastel de atún con salsa blanca

## Ingredientes
(Para 4-6 porciones)

1 lata de atún
3 cdas. de pan rallado
2 cdas. de perejil picado

2 cdas. de cebolla picada
4 huevos
1½ tazas de salsa blanca mediana

## Preparación

Deshacer el atún dentro de un tazón, con ayuda de un tenedor. Agregar el pan rallado, el perejil, la cebolla y los huevos 1 a 1, moviendo para que la mezcla quede uniforme. Preparar la salsa blanca y añadirla a la mezcla anterior. Rectificar la sazón. Volcar la preparación dentro de un molde alargado de 20 x 30 cm, previamente enmantequillado y espolvoreado con pan rallado. Esparcir pedacitos de margarina. Llevar a horno moderado (175°C o 350°F) durante 45 minutos.

# Pastel de atún sin masa

## Ingredientes
(Para 6 porciones)

1 diente de ajo picado
1 cebolla mediana picada
1½ tazas de pan remojado y
exprimido

3 cdas. de aceite
2 latas de atún
¼ de taza de leche
4 cdas. de queso parmesano
rallado

6 huevos
1 cdta. de mostaza
Sal y pimienta al gusto

## Preparación

Freír el ajo y la cebolla picada en cuadraditos en el aceite caliente. Añadir el pan y cocinar por unos minutos. Agregar el atún desmenuzado, la leche, el queso rallado y los huevos ligeramente batidos. Sazonar con mostaza, sal y pimienta. Engrasar un molde rectangular de 20 cm x 30 cm y vaciar en él la preparación. Llevar a horno moderado (175°C o 350°F) por 30 minutos.

# Pastel de choclo

## Ingredientes
(Para 6 porciones)

6 choclos
3 cdas. de azúcar
½ taza de manteca
6 huevos
1 cda, de chuño

3 cdtas. de polvo para hornear
¼ de kg de queso fresco
½ taza de azúcar en polvo
Sal al gusto

## Preparación

Rallar o licuar los choclos. Vaciar en un tazón y añadir la sal, el azúcar y la manteca derretida, mezclando vigorosamente. Batir las claras a punto de nieve e incorporar las yemas. Añadir el chuño y el polvo para hornear a través del cernidor, mezclando suavemente. Engrasar un molde de 25 cm de largo por 15 cm de ancho. Vaciar la mitad de la preparación. Acomodar encima tajadas de queso y cubrir con el resto de la mezcla. Espolvorear con azúcar. Llevar a horno moderado (175°C o 350°F) por 45 minutos.

# Pastel de choclo con relleno [ nueva receta ]

## Ingredientes
**(Para 4-6 porciones)**

4-6 choclos
¾ de taza de leche
¾ de taza de azúcar rubia
1 huevo
150 g de manteca vegetal

½ taza de cebolla picada en cubitos
2 cdas. de pasta de ají amarillo
¼ de taza de azúcar rubia
Sal y pimienta

## Relleno

3 cdas. de aceite
1 cebolla picada en cubitos
3 dientes de ajos picados
Sal y pimienta al gusto
½ kilo de carne de res picada o molida
50 g de pasas
50 g de aceitunas de botija en aros
2 huevos duros cortados en rodajas

## Preparación

Desgranar los choclos y licuarlos con la leche, el azúcar y el huevo. Colocar la manteca en una sartén. Una vez derretida y caliente, freír la cebolla y la pasta de ají. Incorporar el choclo licuado y salpimentar al gusto. Cocinar moviendo de rato en rato, hasta que la preparación esté brillante. Retirar y reservar. Para el relleno, calentar el aceite y freír en él la cebolla y los ajos, hasta que estén transparentes. Agregar la carne y cocinarla por unos minutos, hasta que cambie de color. Salpimentar al gusto y retirar. Armar colocando la mitad de la mezcla de choclo en un Pyrex, ligeramente aceitado, de 20 cm x 30 cm. Encima poner el relleno y salpicar pasas, aceitunas y huevos duros. Cubrir con el resto de choclo. Rociar con el azúcar rubia. Llevar el pastel al horno. Para que las pasas resulten jugosas, después de lavarlas remójelas durante unos minutos en agua hirviendo. También se puede rellenar con seco de res.

# Paté de ave y tocino

## Ingredientes

1 pechuga de pollo
80 g de mantequilla
3 lonjas de tocino

150 g de hígado de pollo
1 hoja de laurel
2 huevos duros

½ taza de leche evaporada pura
Sal y pimienta al gusto

## Preparación

Cocinar la pechuga en agua con sal y algunas verduras. Poner la mantequilla en una ollita con el tocino, el hígado de pollo picado y el laurel. Condimentar con sal y pimienta, y cocinar todo junto. Una vez listo, retirar la hoja de laurel y licuar con la leche, la pechuga y los huevos duros picados. Moldear a gusto. Refrigerar hasta el momento de servir. Acompañar con galletitas o tostadas. Los moldes pueden ser pequeños y descartables. Para desmoldarlo sin problemas, forrar el molde elegido, previamente humedecido, con una lámina de plástico o papel film. De ese modo se desprenderá con facilidad. El paté se puede congelar cuando está listo.

# Paté de langostinos

## Ingredientes
(Para 6-8 porciones)

½ kg de langostinos
1 hoja de laurel
1 diente de ajo
6 cdas. de mantequilla derretida

1/3 de taza de mayonesa
½ cdta. de salsa picante
Sal al gusto

## Preparación

Sancochar tres minutos en agua hirviendo los langostinos limpios con la hoja de laurel y la sal. Colar. Retirar la hoja de laurel y licuar o procesar con el diente de ajo y la mantequilla derretida. Agregar 6 cdas. de mantequilla derretida fría, la mayonesa y la salsa picante. Unir muy bien y volcar en moldes forrados con plástico o papel film. Llevar a la refrigeradora. Desmoldar cuando cuaje. Acompañar con galletas o tostadas.

Como variación, pueden reemplazarse los langostinos con pulpa de cangrejo, alcachofas, brócoli, aceitunas, etcétera.

# *Prepizza* con levadura

## Ingredientes
(Para 8 porciones)

2 ½ tazas de harina
3 cdas. de levadura de cerveza
3 cdas. de aceite
Agua tibia en cantidad
necesaria

Salsa de tomate
100 g de jamón
1 taza de *mozzarella* rallada

8 tiras de pimiento morón
8 aceitunas
½ cdita. de orégano

## Preparación

Cernir la harina con la sal y colocarla sobre la mesa en forma de corona o en un tazón. Mezclar con la levadura y añadir el aceite. Unir con un tenedor agregando agua tibia, en cantidad suficiente como para integrar toda la harina. Amasar hasta obtener un bollo tierno. Colocar en un lugar tibio y dejar descansar hasta que doble su volumen. Retirar la masa y estirarla del tamaño de una *pizzera* de 28 cm de diámetro, previamente aceitada. Untar la masa cruda con la salsa de tomate de su preferencia, taparla y dejarla crecer en lugar abrigado. Cocinar luego en horno caliente (200°C o 400°F) durante 12 minutos. Después, cubrirla con jamón, queso, morrones, aceitunas u orégano. Antes de servir, gratinar hasta que el queso se derrita.

# Pulpo al olivo [ nueva receta ]

## Ingredientes
(Para 4-6 porciones)

1½ kg de pulpo
1 diente de ajo
1 hoja de laurel
1 papa mediana

1 taza de mayonesa
14 aceitunas de botija
Sal y pimienta al gusto
3 cdas. de aceite de oliva para decorar

## Preparación

Limpiar el pulpo y cocinarlo en una olla con agua hirviendo que lo cubra, el diente de ajo entero, la hoja de laurel y 1 papa mediana. El pulpo estará cocido (suave) cuando la papa esté tierna (de 30 a 40 minutos). Enfriar, pelar raspando ligeramente con un cuchillo y cortar en tajadas o trozos pequeños. Reservar. Licuar la mayonesa agregando las aceitunas hasta obtener una salsa homogénea. Condimentar al gusto. Acomodar el pulpo en una fuente, bañar con la salsa de aceitunas y rociar con 3 cdas. de aceite de oliva formando hilos.

# Puré de espinacas con huevo duro

## Ingredientes
(Para 6 porciones)

1/2 kg de espinacas
6 papas amarillas sanco-
chadas
3 cdas. de mantequilla
1 cdta. de aceite

1 cebolla pequeña finamente
picada
3 dientes de ajo picados
Leche en cantidad necesaria

6 huevos duros
6 rodajas de pan frito
Sal y pimienta al gusto

## Preparación

Lavar bien las hojas de espinaca. Sancocharlas con el agua que quedó en las hojas hasta que estén tiernas. Escurrirlas y pasarlas por agua fría. Derretir la mantequilla con el aceite. Freír allí la cebolla y los ajos. Condimentar con sal y pimienta. Licuar las espinacas con un poco de leche y el aderezo de las cebollas, hasta que quede una crema suave. Mezclar con las papas cocidas y pasadas por el prensapapas. Sazonar. Servir caliente con los huevos duros sobre rodajas de pan.

# *Quiche* de champiñones [ nueva receta ]

## Ingredientes
(Para 4-6 porciones)

### Masa

1 ½ tazas de harina
½ cdta. de sal
125 g de mantequilla helada
cortada en cubitos
Agua (si fuera necesario)

### Relleno

2 cdas. de aceite
1 diente de ajo entero
¼ de kg de champiñones
100 g de queso parmesano
rallado

100 g de queso Gouda
rallado
3 yemas
1¾ tazas de leche evaporada
pura
Sal y pimienta al gusto

## Preparación

### Masa:
Unir todos los ingredientes, sin amasar. Si es necesario, agregar agua o leche, en cantidad suficiente para armar la masa. Colocar la masa dentro de una bolsa de plástico y refrigerar por 30 minutos antes de usar, Estirar la masa y cubrir un molde de 30 cm de diámetro, previamente enmantequillado y enharinado. Refrigerar mientras prepara el relleno.

### Relleno:
En el aceite caliente, freír el ajo y los champiñones. Retirar el ajo y dejar enfriar los champiñones. Mezclar en un tazón la leche y las yemas. Salpimentar al gusto.

### Armado:
Poner los quesos sobre la masa cruda. Encima ubicar los champiñones y volcar la leche con las yemas. Llevar a un horno moderado (175°C o 350°F), previamente calentado por 10 minutos. Cocinar por 30 minutos o hasta que cuaje completamente.
Si desea, puede cambiar los champiñones por verduras mixtas cocidas, puntas de espárragos, cubitos de alcachofas, choclo sancochado, cebollas fritas, etcétera.

# Rocoto relleno

## Ingredientes
(Para 4-6 porciones)

4-6 rocotos
5 cdas. de azúcar
2 limones
Aceite en cantidad necesaria
2 cebollas grandes picadas
3 dientes de ajo picados

2 cdas. de ají panca molido
400 g de carne de res molida
o picada
Sal y pimienta al gusto
½ cdta. de orégano
100 g de maní tostado y
molido

3 huevos duros
250 g de queso fresco
1 ½ kg de papa
3 huevos
3 tazas de leche

## Preparación

### Lavado del rocoto:
Cortar las tapitas a los rocotos. Retirarles las pepas y las venas con una cucharita o con la mano (con guante o bolsa plástica, para que no pique). Lavarlos muy bien por dentro y por fuera. Introducir ½ cdta. de azúcar en cada rocoto. Frotar bien, enjuagar y rociar con el jugo de limón. Colocarlos en una olla cubiertos con agua y 1 cdta. de sal. Dejar hervir y luego eliminar el agua. Poner nuevamente agua con 1 cda. de azúcar y cocinar hasta que estén tiernos. Escurrir.

### Relleno:
Calentar en una olla ¾ de taza de aceite. Freír la cebolla y el ajo picados. Añadir el ají panca. Cocinar unos minutos e incorporar la carne. Salpimentar, espolvorear el orégano y añadir el maní. Retirar del fuego y mezclarle los 3 huevos duros picados. Rellenar los rocotos con esta preparación. Batir los huevos hasta que estén casi a nieve. Mezclar con la leche, añadir ¾ de taza de aceite en forma de hilo y salpimentar (esta es la crema que se ve cortada).

### Armado:
En una fuente para horno, acomodar una capa de papas sancochadas cortadas en rodajas, encima los rocotos y una tajada de queso sobre cada uno de ellos. Cubrir con sus tapitas. Volcar la preparación de leche, huevos y aceite. Rociar con aceite y llevar al horno moderado (175°C o 350°F) por 45 minutos a 1 hora.

# Rollitos de *hot dog*

## Ingredientes
(Para 6 porciones)

2½ tazas de harina preparada
1 huevo
50 g de margarina
Leche en cantidad necesaria
6 *hot dogs* de ternera

Mostaza en cantidad necesaria
Azúcar en polvo en cantidad necesaria
1 huevo para pintar
Sal y pimienta al gusto

## Preparación

Colocar en un tazón la harina cernida con la sal y la pimienta. Hacer una corona. En el centro poner el huevo ligeramente batido, la margarina blanda y la leche necesaria para unir con la harina. Formar una masa blanda, poco trabajada, y dejarla descansar cubierta. Estirarla a un grosor delgado (3 mm). A continuación, cortar tiras de 20 cm de largo por 2 cm de ancho. Untar los *hot dogs* con mostaza y envolverlos con las tiras en forma de vendaje. Pintar con huevo batido y espolvorear con azúcar en polvo. Cocinar en horno caliente (200°C o 400°F) durante 15 minutos, sobre latas enmantequilladas y enharinadas.

# Sangrecita [ nueva receta ]

## Ingredientes
(Para 4-6 porciones)

½ kilo de sangre de pollo
3 cdas. de aceite
1 cebolla mediana picada
1 diente de ajo picado

2 ajíes amarillos frescos y
picados, sin venas ni pepas
6 cebollas chinas
Orégano

Abundante hierbabuena picada
1 cda. de culantro picado
Perejil
Sal y pimienta

## Preparación

Cocinar la sangre de pollo en una sartén con un poco de agua, hasta que se seque y desmenuce moviendo con una cuchara de madera. En una sartén aparte, calentar el aceite y hacer un aderezo con la cebolla, el ajo, el ají y la parte blanca de la cebolla china. Sazonar y agregar el orégano, la hierbabuena, el culantro y el perejil. Mezclar con la sangre cocida. Revolver, rectificar la sazón y agregar la parte verde de la cebolla china. Dejar cocinar unos minutos para que se impregnen todos los sabores.
Retirar y servir acompañando con yucas, papas cocidas o granos de choclo.

# Solterito [nueva receta ]

## Ingredientes
(Para 4-6 porciones)

1 taza de habas cocidas y
peladas
1 taza de choclo desgranado
3 ajíes verdes, picados
2 cdas. de rocoto en cubitos

1 cebolla roja picada
¼ de kg de queso fresco en
cubitos
1 cda. de vinagre blanco

1 cda. de aceite vegetal o de
oliva
Jugo de 2 limones
Sal y pimienta al gusto

## Preparación

En un tazón mezclar la cebolla con el queso, el ají y el rocoto. Incorporar el choclo y las habas. Agregar el vinagre, el jugo de limón y sazonar con sal y pimienta. Unir bien. Añadir el aceite y mezclar. Dejar reposar por unos minutos antes de servir. También se puede añadir papa sancochada cortada en cubitos. Las habas se sacan de la vaina antes de ponerlas a sancochar y se cocinan por unos 5 minutos. Se les debe quitar la cáscara antes de utilizarlas. También se puede hacer solterito de quinua mezclándola sancochada con el resto de ingredientes.

# Tamales de maíz

## Ingredientes
(Para 16 tamalitos)

1 kg de maíz blanco
3 dientes de ajo picados
¼ de kg de cebolla
½ taza de ají panca molido
250 g de manteca

Sal y pimienta
¾ de kg de pollo picado
1½ tazas de agua
1 lata de leche evaporada

Pancas de Choclo pasadas
por agua hirviendo para
ablandarlas
4 huevos duros
Aceitunas

## Preparación

Remojar el maíz en agua un día antes, sacar las puntas y licuar. Freír los ajos, la cebolla y el ají en 50 g de manteca. Sazonar con sal y pimienta. Incorporar el pollo picado y el agua. Cocinar por 15 minutos. Poner en una olla a hervir la leche y el resto de manteca, agregar el maíz molido y el caldo en el que se sancochó el pollo. Cocinar moviendo hasta atamalar la mezcla. Armar los tamales en las pancas de choclo u hojas de plátano. Colocar en cada una un poco de masa, un pedazo de pollo, aceituna y huevo duro. Amarrar formando los tamales. Poner en el fondo de una olla pancas u hojas y agua que las cubra. Colocar encima los tamales y tapar. Cocinar por unos 30 minutos.

# Tamales de sémola al culantro, [nueva receta] al ají panca y al ají mirasol

## Ingredientes
(Para 16 tamalitos)

11/3 litros de leche fresca
½ kg de sémola
1¼ tazas de mantequilla
4 ajíes verdes licuados
2 cdas. de aceite

## Aderezos

Al culantro: 2 cdas. de cebolla y 3 cdas. de culantro licuado
Al ají panca: 2 cdas. de cebolla y 2 cdas. de ají panca molido

## Relleno

½ taza de aceite
½ pollo picado en trozos de 2 cm.
3 ajíes en rodajas
2 cdas. de pisco
Sal y pimienta
4 huevos duros picados
100 g de aceitunas de botija
Pancas de choclo remojadas en agua hirviendo y escurrida

## Preparación

Freír el ají licuado en el aceite. Añadir la leche y la mantequilla y esperar que hierva. Agregar la sémola en forma de lluvia, sin dejar de revolver con una cuchara de madera. Cuando esté espesa, retirar. Dividir en 3 la mezcla lista. Dejar una parte tal como está. A la segunda incorporarle el aderezo de 2 cdas. de cebollas fritas y el culantro licuado, y rectificar sazón. A la tercera incorporarle el aderezo de las 2 cdas. de cebollas fritas y 2 cdas. de ají panca.

## Relleno:
Freír el pollo en el aceite hasta que esté cocido. Incorporar el ají y el pisco. Mezclar unos minutos y retirar.

## Armado:
Armar los tamalitos en las pancas, poniendo 2 cdas. de masa, unos trocitos de pollo con ají, un pedazo de huevo duro y aceitunas. Envolver la panca. Hacer paquetitos y amarrar con panca o pabilo. Cubrir el fondo de una olla con agua. Colocar las pancas sobrantes y encima los tamalitos. Hervir durante 20 minutos y servir.

# Tamalitos de garbanzos

## Ingredientes
(Para 6 tamalitos)

### Masa

½ kg de garbanzos remojados desde el día anterior
¼ de kg de manteca
2 tazas del caldo en el que se cocinó el chancho
2 cdas. de culantro molido
Ají molido al gusto
Sal y pimienta al gusto

### Relleno

½ kg de carne de chancho
4 cdas. de manteca
1 cebolla picada en rodajas
4 ajíes verdes en tiras
3 huevos duros
8 aceitunas
Pancas de choclo (remojadas en agua hirviendo para suavizarlas)

## Preparación

### Relleno:
Cocinar el chancho en agua con sal. Una vez listo, cortar en trocitos. Reservar el caldo. Derretir la manteca en una sartén. Freír las cebollas y el ají. Sazonar e incorporar el chancho.

### Masa:
Cocinar los garbanzos hasta que queden como una pasta fina. Calentar la manteca en una olla. Agregar la pasta de garbanzos, el caldo del chancho y el culantro. Sazonar. Cocer a fuego lento hasta que la mezcla esté atamalada y brillante.

### Armado:
Agregar 1 cda. colmada de masa de garbanzos sobre pancas de choclo. En el centro añadir el relleno, un pedazo de huevo duro, 1 aceituna y cubrir con otra cda. de garbanzos. Amarrar con tiras de panca de choclo o pabilo. Colocar los tamalitos en una olla con muy poca agua. Hervir ½ hora.

Tamalitos verdes

# Tamalitos verdes

## Ingredientes
(Para 15 tamalitos)

2 paquetes de panca de
choclo remojados en agua
hirviendo
1 kg de choclo desgranado
Sal al gusto

Pasta de ají verde (opcional)
1½ tazas de hojas de
culantro
2 cabecitas de cebolla china
1½ cdas. de azúcar

3 cdas. de leche
3 dientes de ajo
200 g de manteca vegetal

## Preparación

Licuar poco a poco todos los ingredientes e ir colocándolos en un tazón, salvo la manteca. En una olla de fondo grueso, derretir la manteca y freír, si desea, el ají amarillo. Incorporar el choclo licuado y cocinar, moviendo constantemente, con la ayuda de una cuchara de madera, hasta que hierva y espese. Retirar y dejar entibiar para armar los tamales. Colocar 2 cdas. de la mezcla en una hoja de panca y luego cubrir con otra panca. Envolver y atar. Cocinar en una olla con corontas o pancas en el fondo y agua que las cubra. Poner los tamales por capas, alternando uno con otro. Tapar la olla y cocinar por 20 minutos.
Si desea, los puede rellenar con carne, huevo y ají. Se conservan muy bien congelados, pero sin huevo en el relleno.

# Tarta de cebollas

## Ingredientes
(Para 6-8 tamalitos)

### Masa

2 tazas de harina sin preparar
1 cdta. de polvo para hornear
1 pizca de sal
Pimienta negra
¼ cdta. de pimentón
100 g de margarina
6 cucharadas de agua helada

### Relleno

6 cebollas
¼ de taza de aceite
1 yogur natural chico
3 huevos
½ cdta. de pimentón
¼ de cdta. de comino molido
2 cdas. de chuño
Sal y pimienta negra

## Preparación

### Masa

Cernir en un tazón los ingredientes secos. Incorporar la margarina fría y trabajarla con un tenedor hasta obtener una mezcla como arena gruesa. Mezclar con el agua helada y formar un bollo sin amasar. Dejar reposar dentro de una bolsa de plástico en la refrigeradora, por lo menos durante 1 hora. Para armar la masa se puede usar el procesador.

### Relleno:

Pelar y cortar la cebolla en aros finos. Freírlos en aceite hasta dorar. Retirarlos sobre papel absorbente. En un tazón aparte, mezclar bien el yogur, los huevos, el comino, el pimentón y el chuño disuelto en un poco de agua. Condimentar con sal y pimienta al gusto.

### Armado:

Forrar una tartera de 28 cm, enmantequillar y enharinar. Pinchar con un tenedor. Cubrir la base con las cebollas y verter la mezcla de huevos y yogur. Dejar reposar durante 5 minutos. Hornear a temperatura moderada (175°C o 350°F) por 30 minutos. La tarta se puede servir caliente o fría.

# Tarta muy sabrosa

## Ingredientes
(Para 6-8 porciones)

| Masa | Relleno | Cubierta |
|---|---|---|
| 200 g de harina preparada | 1 cebolla | 150 g de queso cuartirolo o |
| 1 cdta. de sal | 1 pimiento | mantecoso |
| 100 g de margarina | 2 cdas. de aceite | 4 tomates en rodajas |
| 1 cda. de azúcar | 2 tazas de pollo hervido y | |
| 1 yema | picado | |
| 2 cdas. de leche | 6 cdas. de vino blanco seco | |
| | 1 lata de champiñones | |
| | 3 cdas. de *ketchup* | |
| | Sal y pimienta al gusto | |

## Preparación

Poner los ingredientes de la masa en un tazón y armar el bollo de masa sin tocar con las manos (usar una cuchara de madera). Cubrir y dejar descansar por 30 minutos. Cocinar la cebolla y el pimiento en el aceite. Agregar el pollo y rehogar por 5 minutos. Añadir el vino y cocinar 5 minutos más. Retirar del fuego. Agregar los champiñones y el *ketchup*. Salpimentar al gusto. Con la masa, forrar un mol de 26 cm de diámetro por 4 cm de alto, enmantequillado y enharinado. Rellenar y emparejar. Cubrir con láminas de queso y tomates o reemplazarlos por pimientos morrones.

# Tiradito [ nueva receta ]

## Ingredientes
(Para 4-6 porciones)

½ kg de pescado del día
Sal y pimienta al gusto
20 limones
1 rodaja de kion
4 hojas de culantro

1 rama de apio
½ cdta. de pisco
1 trozo de rocoto
1 ají limo sin pepas cortado
en cubitos

2 choclos desgranados y
cocidos
6 rodajas de camote cocido
Ramas de culantro
1 cubito de hielo

## Preparación

Cortar el pescado en láminas de 1 cm de espesor y estas en tiras de 6 cm x 2 cm. Aplanarlas con la hoja de un cuchillo grande. Colocarlas sobre un plato y mantenerlas refrigeradas. Exprimir los limones y, dentro del jugo, colocar la rodaja de kion, el culantro, el apio, el pisco y el trozo de rocoto. Marinar de 10 a 15 minutos. Para servir, salpimentar las tiras de pescado y rociar con la marinada de limón, previamente colada. Si desea, salpicar encima el ají limo. Adornar con choclo, camote y hojas de culantro.
Hay muchas variantes de este plato: con pasta de rocoto, con crema de aceite de oliva, con mezcla de mariscos o pimientos, con jugos de cítricos, etcétera.

# Tortilla de lechuga y variaciones

## Ingredientes
(Para 6 porciones)

4 huevos
3 cdas. de harina preparada
1 cebolla picada y frita en aceite
2 cdas. de leche

1 taza de lechuga picada a la juliana
Aceite en cantidad necesaria
Sal y pimienta al gusto

## Preparación

Batir las claras a punto de nieve. Incorporar las yemas, 1 a 1. Sazonar con sal y pimienta. Agregar la cebolla y la harina preparada. Mezclar bien y agregar la lechuga. Calentar el aceite y freír por cucharadas. Una vez doradas de un lado, dar la vuelta a las tortillas y terminar la cocción. Retirar, escurrir sobre papel absorbente y servir. Puede reemplazarse la lechuga por vainitas, zanahorias ralladas, arvejas cocidas, etcétera.

# Tortilla de papas a la española

## Ingredientes
(Para 4-6 porciones)

¾ de kg de papa blanca
½ taza de aceite
1 cebolla picada

1 chorizo ahumado (opcional)
Sal y pimienta al gusto

5 huevos
1 pimiento (opcional)

### Preparación

Pelar, lavar y secar las papas. Cortarlas en láminas y cocinarlas en una sartén con el aceite caliente. Agregar la cebolla. Continuar la cocción a fuego lento, para que la cebolla no se queme. Si desea, incorporar pimiento picado y chorizo pelado y cortado en rodajitas. Condimentar con sal y pimienta al gusto. Aparte, batir los huevos en un tazón, hasta que estén espumosos. Añadir la papa, la cebolla, el pimiento y el chorizo, todo bien escurrido. Mezclar suavemente y verter en la sartén con un poco de aceite caliente. Cocinar hasta que se dore la parte de abajo. Dar vuelta con la ayuda de un plato y cocinar hasta dorar del otro lado. Retirar y servir. Las papas pueden sancocharse peladas y en agua con sal. Una vez cocidas, escurrirlas bien y cortarlas en rodajas finas. De esta manera, evitamos la cocción en abundante aceite.

# Tortilla de pescado

## Ingredientes
(Para 4-6 porciones)

6 huevos
1 cda. de cebolla rallada
Jugo de ½ limón
2 cdtas. de perejil picado

6 cdas. leche evaporada
½ kg de pescado blanco sin espinas y sancochado

2 tazas de papas chips desmenuzadas
Aceite en cantidad necesaria
Sal y pimienta al gusto

### Preparación

Batir los huevos. Mezclar con el resto de ingredientes, excepto el pescado y las papas. Calentar el aceite en la sartén. Agregar 1 taza de papas chips desmenuzadas. Cubrir con 2 tazas de pescado cocido y desmenuzado. Tapar con la otra taza de papas. Verter el batido de huevos. Cocinar a fuego fuerte, moviendo la sartén. Dar vuelta y dorar abajo. Luego, deslizar a una fuente. Decorar con tiritas de pimientos morrones. Al centro se pueden añadir aceitunas verdes y negras.

# Ensaladas

# Ensalada agridulce con aliño [ nueva receta ] de linaza y mayonesa

## Ingredientes
(Para 4-6 porciones)

2 manzanas rojas
2 cdas. de jugo de limón
1 taza de granos de choclo
cocidos

4 tazas de lechugas lavadas
2 paltas en cubos
12 colas de langostinos
(opcional)

4 cdas. de mayonesa
½ taza de yogur natural
Jugo de 1 naranja
2 cdas. de *ciboulette* picado
o perejil
½ taza de semillas de linaza
tostadas

## Preparación

Cortar las manzanas en 4 y luego en láminas delgadas. Dejarlas con el jugo de limón para que no se oscurezcan. Lavar, escurrir y cortar la lechuga en trozos del tamaño de un bocado.
Para preparar la salsa, mezclar el yogur con la mayonesa, las hierbas picadas, sal y pimienta al gusto y las semillas de linaza previamente tostadas en una sartén limpia.
Una vez que la ensalada esté lista y servida, espolvorear con semillas de linaza.
Este aliño puede servir para cualquier otra ensalada de hojas.

# Ensalada César

## Ingredientes
(Para 4-6 porciones)

2 lechugas americanas o
1 lechuga y ¼ de kg de
espinacas
1/3 de taza de aceite de oliva
½ taza de queso parmesano
rallado

2 cdas. de jugo de limón
Sal y pimienta al gusto
½ cdta. de salsa inglesa
1 ½ tazas de crutones al ajo

1 lata chica de filetes de anchoa
o ¼ de kg de tocino picado
1 huevo cocido en agua por
2 minutos

## Preparación

Lavar las hojas de lechuga y espinacas. Escurrirlas, secarlas bien y cortarlas. Añadir el aceite, el queso parmesano, el jugo de limón, la sal, la pimienta, la salsa inglesa, las anchoas (o, en su lugar, el tocino frito y crocante) y el huevo ligeramente batido. Mezclar hasta que se impregne y adornar con los crutones al ajo. Servir inmediatamente.

**Ensalada César**

## Crutones al ajo:

Quitar la corteza a 3 rebanadas de pan de molde y cortar en cubitos. Calentar aceite, añadirle 1 diente de ajo entero, freírlo hasta que dore y luego retirarlo. Freír los cubitos de pan hasta que estén dorados y escurrirlos sobre papel absorbente.
Pueden prepararse con anticipación y guardar en recipientes herméticos.

# Ensalada colorida

## Ingredientes
(Para 4-6 porciones)

| | | |
|---|---|---|
| 1 atado de hojas de espinaca | ½ taza de aceite vegetal | ¼ de cdta. de páprika |
| 2 tazas de fresas | ¼ de taza de vinagre blanco | 2 cdas. de semillas de |
| 2 tazas de gajos de mandarina | ½ taza de azúcar | ajonjolí |

## Preparación

Lavar y cortar con las manos las espinacas en pedazos pequeños. Cortar las fresas en tajadas. Combinar las espinacas, las fresas y los gajos de mandarina en un tazón grande. Mezclar el aceite, el vinagre, el azúcar, la páprika y las semillas de ajonjolí. Verter sobre las espinacas, las fresas y las mandarinas, y mezclar hasta que cubra todo. Es mejor lavar las fresas con el cabito para que no absorban agua y no pierdan su consistencia (las fresas son como una esponja).

# Ensalada de choclo, piña y palta

## Ingredientes
(Para 4-6 porciones)

| | |
|---|---|
| 2 choclos | 2 paltas |
| 4-6 rodajas de piña en almíbar | Sal |

## Preparación

Sancochar los choclos y desgranarlos. Unir con rodajas de piña cortadas en cuñas y la palta cortada en trozos pequeños. Mezclar bien. Sazonar con sal. La crema de palta, al mezclarse con los otros ingredientes, brindará el ligue necesario. Para preparar piña en almíbar, pelar la piña y cortarla en rodajas. Retirarles el centro y cocinarlas durante 7 minutos en agua sola. Pasado ese tiempo, agregar azúcar al gusto y cocinar 7 minutos más. Quedará igual que la piña en conserva.

# Ensalada de coliflor o brócoli

## Ingredientes
(Para 6-8 porciones)

1 coliflor o brócoli
½ taza de aceite
¼ de taza de vinagre
1 cda. de perejil picado

1 diente de ajo molido
2 huevos duros picados
Condimentos al gusto

## Preparación

Hervir la coliflor o el brócoli en agua con sal. Cuidar que no se recocine. Cortar en gajos y acomodarlos en una fuente. Mezclar en un bol el aceite, el vinagre, el perejil, el ajo y los huevos duros picados. Condimentar bien. Con esa salsa cubrir la coliflor o el brócoli. Se puede agregar 1 cdita. de mostaza y ½ cdita, de azúcar al condimento.

# Ensalada de espinacas

## Ingredientes
(Para 6-8 porciones)

½ kg de hojas de espinaca
50 g de tocino frito y picado
3 huevos duros
Vinagreta básica (ver p. 19)
1 taza de crutones de pan

## Preparación

Lavar y escurrir las hojas de espinaca cortadas a tamaño bocado. Mezclar con el tocino frito y los huevos duros picados. Aliñar con vinagreta al gusto al momento de servir. Espolvorear encima los crutones.

# Ensalada de fideos codito con choclo y espárragos

## Ingredientes
(Para 4-6 porciones)

2 tazas de fideos codo chico
1 taza de espárragos sancochados
1 taza de choclo sancochado
1 cda. de perejil picado

Sal y pimienta al gusto
6 cdas. de aceite
2 cdas. de vinagre
1 cda. de mostaza

## Preparación

Mezclar los fideos codo chico sancochados y fríos con los espárragos, el choclo y el perejil. Preparar la vinagreta, mezclando el aceite, la mostaza, el vinagre, la sal y la pimienta. Unir suavemente todos los ingredientes. Acomodar en la fuente para llevar a la mesa. Decorar con huevos duros, pimiento en tiras y gajos de tomate. Esta ensalada puede prepararse también cambiando los fideos por 2 tazas de arroz cocido.

# Ensalada de mango y palta al kion y menta [nueva receta]

## Ingredientes
(Para 4-6 porciones)

50 g de coco rallado
60 g de pecanas (pueden ser caramelizadas)

1 mango
1 palta
1 pepino

## Aderezo

4 cdas. de jugo de limón
1 cda. de kion rallado
1 cda. de menta picada
½ ají limo picado
Sal y pimienta

## Preparación

Tostar el coco en una sartén limpia a fuego moderado, revolviendo para que no se queme. Picar las pecanas y mezclar con el coco tostado. Reservar. Pelar y cortar en cubos el mango, la palta y el pepino. Colocar los 3 ingredientes en una ensaladera.

## Aderezo:
Mezclar en un bol el jugo de limón, el kion, la menta y el ají picado. Salpimentar al gusto. Aderezar la ensalada y mezclar con suavidad. A último momento, agregar la mezcla de coco y pecanas. Servir a temperatura ambiente. Esta ensalada es una fresca y original guarnición para acompañar brochetas de pollo o para carnes blancas en general. Tanto el pepino como la palta se pueden reemplazar por melón.

# Ensalada de menestras [nueva receta]

## Ingredientes
(Para 4-6 porciones)

½ kg de frejol castilla, pallares, lentejas o garbanzos
1 cebolla blanca cortada en juliana

Jugo de 1 limón
2 tomates picados en cubitos
2 cdas. de vinagre
Aceite en cantidad necesaria

3 cdas. de culantro picado
1 ají limo picado finamente
Sal y pimienta al gusto

## Preparación

Remojar las menestras elegidas la noche anterior (a excepción de las lentejas, que no necesitan hidratarse). Poner a cocinar con agua que las cubra hasta que estén suaves. Eliminar agua, si fuera necesario. Reservar. En un tazón, remojar en agua fría la cebolla por unos 30 minutos y colar bien. Mezclar con el ají y el tomate. Salpimentar al gusto y agregar el limón y el vinagre. Unir bien e incorporar el aceite (que puede ser de oliva). Mezclar con la menestra, espolvorear el culantro y servir. Si le gusta la ensalada tibia, caliente ligeramente la menestra antes de mezclarla con la salsa.

# Ensalada de papas

## Ingredientes
(Para 4-6 porciones)

1 kg de papas en cuadraditos
2 cebollas picaditas
3 dientes de ajo picados
1 huevo  duro picado

2 cdas. de perejil picado
½ taza de aceite
¼ de taza de vinagre
Sal y pimienta al gusto

## Preparación

Cocinar las papas en agua con sal. Una vez listas, escurrir y, aún calientes, mezclar con la cebolla, los ajos, el huevo duro, el perejil picado, el aceite, el vinagre y condimentar con sal y pimienta. Decorar con ramitas de perejil. Si desea, agregar 200 g de vainitas cortadas al sesgo y sancochadas en agua con sal. Al igual que las papas, condimentar cuando estén calientes.

# Ensalada de pollo a la mostaza y miel [ nueva receta ]

## Ingredientes
(Para 4-6 porciones)

3 mandarinas
2 tazas de *mix* de lechugas u otras a su gusto
½ taza de apio picado

3 cdas. de praliné de pecanas (pecanas acarameladas y picadas)
½ cda de ajonjolí
1 filete de pechuga

## Aliño

2 cdas. de mostaza
2 cdas. de miel de abeja
3 cdas. de yogur natural (o leche evaporada)
Sal y pimienta al gusto

## Preparación

Pelar y trozar la mandarina, y retirarle las semillas. Lavar y secar las hojas de lechuga. Cocinar y cortar el filete de pechuga previamente salpimentado. Armar el plato de ensalada poniendo de cama las lechugas y el apio. Condimentar con el aliño en el momento de servir. Acomodar los trozos de mandarina, salpicar con el ajonjolí y terminar con el praliné de pecanas. Este aliño se mantiene fresco en la refrigeradora en frascos tapados. Puede preparar más y utilizarlo en diferentes ensaladas. Si no tiene yogur natural, puede aligerarlo con leche evaporada y condimentarla con sal y pimienta. Si desea, cambiar la mandarina por naranja o higos.

# Ensalada de pollo al sillao y ajonjolí [nueva receta]

## Ingredientes
(Para 4-6 porciones)

1 filete de pechuga de pollo (puede ser pavita)
¼ de taza de sillao
1 huevo

Cantidad necesaria de ajonjolí
2 tazas de *mix* de lechugas
1 taza de frejolitos chinos

## Aderezo

3 tallos de cebolla china
10 *holantao* (arveja china)
Sillao y aceite de ajonjolí

## Preparación

Cortar la pechuga en trozos y colocarla en un recipiente con el sillao. Pasar los trozos de pollo marinados y escurridos por el huevo batido. Apoyar el pollo sobre el ajonjolí y freír en aceite. Una vez dorados, escurrir en papel de cocina hasta el momento de servir. Calentar una sartén con 1 cda. de aceite, 1 cda. de sillao y 1 cdta, de aceite de ajonjolí. Saltear los frejolitos chinos, la cebolla china en trozos y el *holantao*. Retirar enseguida y armar la ensalada.

# Ensalada mediterránea

## Ingredientes
(Para 4-6 porciones)

2 lechugas crespas
1 cebolla
3 tomates
2 huevos duros

4 anchoas (opcional)
1 lata de sólido de atún
100 g de aceitunas verdes o
negras
1 pimiento soasado y pelado

## Aderezo

½ taza de aceite de oliva
2 cdas, de mayonesa
3 cdas, de vinagre
Sal y pimienta al gusto

## Preparación

Lavar la lechuga y cortarla con la mano al tamaño de un bocado. Picar la cebolla en juliana, los pimientos en tiras, los huevos duros en 4 y los tomates en cuñas. Agregar anchoas, si desea. Preparar el aderezo mezclando todos los ingredientes. Aderezar antes de servir.

# Ensalada mil sabores

## Ingredientes
(Para 4-6 porciones)

250 g de fideos corbata
250 g de pechuga de pollo
¾ de taza de apio picado
250 g de langostinos cocidos
1 melón cortado en bolitas o cubos

## Aderezo

4-5 cdas, de mayonesa
½ taza de yogur
2 cdas, de crema de leche

1 cda. de pisco o gin
1 cdta. de azúcar
Sal y pimienta al gusto

## Preparación

Cocinar los fideos corbata al dente y pasarlos por agua fría. Sancochar la pechuga de pollo en agua con apio, zanahoria, poro y sal. Dejarla enfriar dentro del caldo y luego cortarla en cubos. Para el aderezo mezclar muy bien todos los ingredientes, condimentar con sal y pimienta. Colocar los fideos en una ensaladera con el pollo, el apio crudo y picado, los langostinos y el melón. Mezclar con el aderezo en el momento de servir.

# Ensalada rápida de fideos corbatas

## Ingredientes
(Para 6-8 porciones)

¼ de kg de fideos corbata
¼ de taza de arvejas cocidas
150 g de jamón picado
2 pepinillos encurtidos picados

1 taza de mayonesa bien aderezada
2 huevos duros
1 cda. de perejil picado

## Preparación

Cocinar los fideos corbata en abundante agua con sal. Escurrir y enfriar. Mezclar en un tazón los fideos fríos con las arvejas, el jamón y los pepinillos. Unir con la mayonesa. Volcar en una fuente. Decorar con rodajas de huevo duro y espolvorear perejil picado.

# Ensalada siciliana

## Ingredientes
(Para 6-8 porciones)

½ kg de fideos tornillo
4 tomates grandes picados
12 aceitunas verdes
1 cebolla
1 pimiento cortado en cuadraditos

1 taza de queso fresco en
dados
12 aceitunas de botija en
rodajas
½ taza de aceite de oliva

2 cdas. de jugo de limón
2 cdas. de vinagre
Sal y pimienta al gusto

## Preparación

En un tazón grande, combinar los tomates picados, las aceitunas de botija en rodajas, las acei-tunas verdes, la cebolla, el pimiento cortado en cuadraditos y el queso fresco cortado en dados. Cocinar, escurrir y entibiar los fideos tornillo. Luego, unir mezclando suavemente a lo anterior. En otro tazón pequeño, mezclar el aceite de oliva, el jugo de limón, el vinagre, la sal y la pimien-ta. Verter sobre la ensalada removiendo bien, a fin de integrar todos los ingredientes. Acomodar sobre hojas de lechuga orgánica. Espolvorear pimentón al gusto.

# Ensalada verde

## Ingredientes
(Para 6-8 porciones)

½ kg de fideos canuto
1 taza de hojas de espinaca cruda
½ taza de espárragos

½ taza de tocino picado y frito
1 taza de ramitas de brócoli
Vinagreta básica (ver p. 19)

## Preparación

Cocinar los fideos al dente. Escurrir y enfriar. Cortar en juliana las hojas de espinaca cruda y mezclarlas con los espárragos cocidos o de lata en trozos, el tocino picado y frito, y las ramitas de brócoli sancochadas. Combinar todo con la vinagreta.

# Ensaladas *salad* bar

- **Ensalada rusa:** Cocinar por separado en agua con sal 1 kg de papa blanca (en cuadraditos), ½ kg de arvejas y ¼ de kg de vainitas picadas. Escurrirlas bien, dejar enfriar. Colocar en un tazón y condimentar con sal y pimienta. Agregar ¾ de taza de mayonesa. Mezclar y acomodar en una fuente. Decorar con ½ taza de mayonesa, huevo duro rallado y aceitunas.
- **De tomate:** Elegir tomates no muy maduros. Lavarlos y secarlos bien. Cortar en rodajas y acomodar en una fuente. Rociarlos con aceite, sal, pimienta y un poco de orégano.
- **De papas:** Cocinar en agua con sal 1 kg de papas cortadas en cuartos. Una vez listas, escurrir y mezclar aún calientes con 2 cebollas finamente picadas, 3 dientes de ajo picados, 1 huevo duro picado, 2 cdas. de perejil picado, 1/3 de taza de aceite, ¼ de taza de vinagre, y sal y pimienta al gusto. Decorar con ramitas de perejil.
- **De vainitas:** Sancochar en agua con sal hirviendo ½ kg de vainitas cortadas en sesgos de 3 cm. Escurrir una vez cocidas. Aún calientes, condimentar con aceite, vinagre, sal, pimienta, 3 dientes de ajo picados, 1 cda. de perejil picado y ½ cebolla picada y pasada por agua caliente. Mezclar todo y colocar en una fuente. Decorar al gusto.
- **Colorida:** Acomodar en una fuente, alternando colores: zanahorias crudas ralladas, col finamente picada, pepinillos en rodajas, ramitos de brócoli sancochados, apio picado, palta, tomates en rodajas, rabanitos, etcétera. Colocar en varias salseras: golf, mayonesa de leche y vinagreta.
- **Palta con apio y tomates:** Todo cortado en rodajas y condimentado con sal, pimienta, aceite y jugo de limón.

# Fantasía de frutas

## Ingredientes
(Para 6-8 porciones)

1 col
½ kg de uvas

½ melón cortado en bolitas
½ piña picada

½ sandía picada
Mayonesa

## Preparación

Picar la col y pasarla par agua hirviendo. Escurrir y mezclar con las uvas, el melón en bolitas, la piña y la sandía picadas, y la mayonesa: Mezclar y decorar al gusto. Se puede decorar con las frutas, siempre y cuando se haya reservado algunas antes de mezclarlas con la mayonesa.

# *Mix* de lechugas con crujientes [ nueva receta ] de pollo al ajonjolí

## Ingredientes
(Para 4-6 porciones)

2 pechugas de pollo fileteadas
200 g de colas de camarón
langostinos
2 huevos batidos con sal y
pimienta
2 cdas, de ajonjolí

1½ tazas de harina
300 g de pan rallado
Aceite para freír
3 cdas, de aceite de oliva

4 tazas de lechugas trozadas
de diferentes colores
1 ½ cdas. de vinagre balsámico
3 o 4 cdas. de azúcar blanca
granulada

## Preparación

Poner los huevos en un bol, la harina en un plato y en otro el pan rallado mezclado con el ajon-jolí. Pasar los filetes de pollo primero por la harina, luego por el huevo condimentado y al final por la mezcla de ajonjolí y pan. Refrigerar para que todo se adhiera muy bien. Freír en abundante aceite hasta que los filetes estén dorados y retirar sobre papel de cocina.
Colocar en un bol las hojas de lechuga trozadas y cubrir con el aceite de oliva y el vinagre. Mezclar las lechugas, salpicar el azúcar sobre la ensalada y frotar con las manos para que se impregne bien el sabor de la lechuga. Colocar los crujientes de pollo encima.
Esta ensalada puede ser "plato único".
Los crujientes de pollo son ideales como un piqueo, acompañados con una salsa de sillao y miel, que se obtiene mezclando 1 taza de sillao, 3 cdas. de miel y 1 cda. de kion pelado y ralla-do. Cocinar a fuego bajo hasta lograr consistencia de salsa. Al final, agregar 1 cda. de culantro picado y servir.

# Sopas

# Aguadito de pavo

## Ingredientes
(Para 4-6 porciones)

| | | |
|---|---|---|
| 1 esqueleto de pavo | Sal, pimienta y ají al gusto | 2 choclos desgranados |
| Apio y poro | ½ taza de culantro molido | 1 pimiento cortado en tiras |
| ¼ de taza de aceite | ¼ de kg de arvejas | 7 tazas de caldo caliente |
| 1 cdta, de ajos molidos | ¼ de kg de zanahorias en | 1 taza de arroz |
| 1 cebolla picada | cuadraditos | |

## Preparación

Hervir el esqueleto del pavo con el apio y el poro, Colar, retirar los huesos y reservar la carne y el caldo. Dorar los ajos, la cebolla y el ají en el aceite caliente. Condimentar con sal y pimienta. Una vez cocido el aderezo, agregar el culantro, las arvejas, las zanahorias, los choclos y el pimiento. Cocinar por unos minutos más. Incorporar el caldo caliente y, cuando rompa el hervor, añadir el arroz y la carne del pavo reservada, Cocinar a fuego lento por 15 minutos. Servir inmediatamente. Se puede variar con pollo o choros. En este último, el caldo caliente será el líquido de cocción de los choros.

# Caldo de gallina [nueva receta]

## Ingredientes
(Para 4-6 porciones)

| | |
|---|---|
| 1 kg de gallina | Un tallito de apio |
| ¼ de kg de tallarín grueso | 4 huevos |
| 4 papas amarillas o blancas | 1 cubito de caldo de gallina |
| 3 o 4 rodajitas de kion | Cebolla china picada (los tallos) |

## Preparación

Cortar la gallina en presas medianas y ponerlas a hervir en agua con sal. Dejar cocinar durante 1 hora. Agregar el apio y el kion. Incorporar el cubito y las papas enteras peladas. Dejar cocer por ½ hora y agregar el tallarín grueso. Dejar hervir por 15 minutos más. Una vez apagado, agregar encima la cebolla china picada y servir con un huevo sancochado y una presa de gallina por plato.

Sugerencia: Si se consigue, usar gallina negra, que es la que tiene mejor sabor.

# Caldillo de huevos

## Ingredientes
(Para 4-6 porciones)

1 cebolla picada
3 cdas. de margarina
2 tazas de agua
2 tazas de leche

Sal y pimienta
3 o 4 huevos
1 taza de pan frito en cubitos

## Preparación

Dorar la cebolla en la margarina y agregar el agua. Cuando rompa el hervor, incorporar la leche. Salpimentar al gusto. Batir ligeramente los huevos y volcarlos sobre el caldo hirviendo, sin dejar de revolver con un tenedor. Servir inmediatamente. Salpicar con pan frito en cada plato.

# Chilcano de pescado

## Ingredientes
(Para 4-6 porciones)

3 cabezas de pescado a elección
Sal y pimienta
1 rama de apio
½ cebolla

1 diente de ajo entero
1 trozo de poro (la parte blanca)
1 ramito de perejil
5 tazas de agua

Jugo de 1 limón
2 cdas. de pisco
3 cdas. de Culantro picado

## Preparación

Poner en una olla el pescado y todos los ingredientes, a excepción del jugo de limón, el pisco y el culantro. Cubrir con el agua, salpimentar al gusto y hacer hervir durante 15 a 20 minutos desde que rompe la cocción. Retirar y colar. Agregar el jugo de limón y el pisco. Servir espolvoreando con culantro picado. Es ideal preparar el chilcano con cabezas de mero, tramboyo, ojo de uva o bonito, por la cantidad de gelatina que contienen.
Si usa bonito, se puede añadir una manzana partida en 4 y 1 trozo de kion.

# Chupe de camarones

## Ingredientes
(Para 4-6 porciones)

1 kg de camarones
8 tazas de agua
½ taza de aceite
3 dientes de ajo picados
2 cebollas picadas

3 cdas. de aií panca molido
Ají verde molido al gusto
1 cdta. de orégano
1 rama de huacatay
½ taza de arroz

½ kg de papa amarilla
½ taza de arvejas
100 g de queso fresco picado
1 ½ tazas de leche evaporada

## Preparación

Lavar y limpiar los camarones, retirar el coral y reservar las colitas. Hervir los cuerpos de los camarones en la mitad del agua. Cocinar de 6 a 8 minutos, licuar y colar. En el aceite caliente, freír ajos, cebollas y ajíes. Agregar los corales (disueltos en ¼ de taza de agua y colados), el orégano, el huacatay, el licuado de los cuerpos de los camarones y el resto de agua. Dejar hervir. Añadir el arroz, las papas (peladas) y las arvejas. Salpimentar. Cocinar hasta que todo esté a punto. Incorporar las colitas de camarones peladas y dejar hervir por 3 minutos. Añadir, ya para servir, el queso y la leche.
Si desea, agregar 8 trozos de pescado frito al momento de incorporar los camarones o huevos fritos o escalfados.

# Chupe de ollucos

## Ingredientes
(Para 4-6 porciones)

½ kg de ollucos con cáscara
1 papa blanca pelada
Sal y pimienta al gusto
2 cubitos de caldo de pollo

100 g de queso fresco
½ taza de leche evaporada
2 cdas. de perejil picado
2 huevos

## Preparación

Lavar y rallar los ollucos y las papas. Enjuagar en agua con sal. Poner a hervir en una olla con ½ litro de agua. Condimentar con sal, pimienta y los cubitos de caldo de pollo. Antes de servir, incorporar el queso fresco rallado grueso, la leche y el perejil picado. Al final, poner los huevos ligeramente batidos, revolver y servir.

**Chupe de camarones**

# Chupe de papas o *yacochupe*

## Ingredientes
(Para 4-6 porciones)

8 papas medianas, blancas,
2 litros de agua
1 taza de leche evaporada
2 cdas. de huacatay picado
2 cdas. de culantro picado
2 cdas. de hierbabuena picada

3 cdas. de queso fresco
3 huevos
3 cdas. de perejil picado
2 cdas. de cebolla china picada
1 ají verde entero y soasado
Sal y pimienta al gusto

### Preparación

Pelar las papas y partirlas en cuñas. Hervirlas con sal y agua que las cubra. Una vez suaves, agregar la leche, el queso cortado en dados, los huevos ligeramente mezclados y todas las hierbas. Incorporar el ají soasado, hervir por 3 minutos y servir.

# Chupe de pescado

## Ingredientes
(Para 4-6 porciones)

4 cdas. de aceite
1 cebolla
2 dientes de ajo picados
Ají al gusto (opcional)
1 cdta. de orégano
8 tazas de caldo de pescado

4 cdas. de arroz
2 cdas. de camaroncitos chinos
3 papas blancas en cuartos
½ taza de choclo desgranado
½ taza de arvejas
3 huevos

3 cdas. de queso fresco
1 ½ tazas de leche
6 filetes de pescado enharinados y fritos en aceite
1 cda. de culantro picado

### Preparación

Freír en el aceite caliente la cebolla, los ajos, el ají al gusto y el orégano. Cocinar unos minutos y añadir el caldo hirviendo, el arroz, los camaroncitos, las papas, el choclo y las arvejas. Seguir la cocción hasta que todo esté a punto. Agregar la leche, los huevos ligeramente mezclados y el queso cortado en cubitos. Servir en cada plato un filete de pescado, el chupe y espolvorear con el culantro picado.

# Chupe especial

## Ingredientes
(Para 8 porciones)

| | | |
|---|---|---|
| ½ taza de aceite | 1Kg. de papas blancas y | 8 Camarones frescos |
| 1 cebolla picada | amarillas | 100 g de queso fresco |
| 1 tomate pelado y picado | ½ taza de arroz | 2 huevos duros |
| 4 dientes de ajo picados | 1 cdta. de orégano | 8 trozos de corvina frita |
| 2 ½ litros de caldo | 2 ajíes frescos en rajas | 1 taza de leche evaporada |
| 1 trozo de zapallo rallado | 3 ramas de apio | pura |
| | 2 cdas. de perejil picado | Sal y pimienta al gusto |

## Preparación

Freír en el aceite la cebolla, el tomate, el ajo y el orégano restregado. Condimentar con sal y pimienta. Añadir el ají en rajas, las ramas de apio entero y el perejil picado. Cocinar por unos minutos sin dejar que se dore. Agregar el caldo, el zapallo, las papas blancas cortadas en trozos pequeños para que se deshagan con facilidad, el arroz y los camarones. Dejar hervir hasta que las papas estén a medio cocer. Añadir las papas amarillas en trozos medianos. Dejar que continúe la cocción. Cuando esté listo, agregar el queso fresco desmenuzado, los huevos duros cortados en rajas y la corvina frita cortada en trozos. Dar un hervor e incorporar la leche. Retirar las ramas de apio. Servir enseguida.

# Crema de zapallo

## Ingredientes
(Para 6-8 porciones)

| | | |
|---|---|---|
| 1 kg de zapallo | 1 cebolla finamente picada | ¾ de taza de leche evaporada |
| 4 tazas de caldo | 1 diente de ajo picado | 1 cdta. de harina sin preparar |
| 3 cdas. de margarina | ½ taza de queso parmesano | Sal y pimienta al gusto |

## Preparación

Cocinar el zapallo cortado en trocitos en el caldo. Una vez listo, colar o licuar. Freír la cebolla en la margarina, agregar el ajo, cocinar unos minutos e incorporar el zapallo. Hervir y echar la leche y el queso parmesano. Si el zapallo no está muy cremoso, disolver 1 cdta. de harina en un poco de agua y añadir a la crema. Dejar hervir por 3 minutos. Servir con crutones de pan frito. Puede variarse la crema, cambiando el zapallo por brócoli, coliflor, apio, poro o verduras mixtas (zanahorias, vainitas, arvejas, etcétera).

# Dieta de pollo [ nueva receta ]

## Ingredientes
(Para 4-6 porciones)

1 pechuga de pollo deshuesada y en cubos
1 zanahoria en cubos
1 cdta. de orégano (opcional)

3 papas amarillas en cubos (opcional)
100 g de fideos cabello de ángel
Sal al gusto

## Preparación

Cocinar el pollo en 6 tazas de agua con sal. Cuando esté casi listo, agregar la zanahoria y las papas amarillas. Cocinar durante 5 minutos, rectificar la sazón y agregar los fideos. Servir una vez que los fideos cabello de ángel estén al dente y las papas, tiernas. Para darle más sabor a la sopa, puede agregar en su preparación un cubito de caldo de gallina. También se puede salpicar el caldo con orégano seco antes de servir.

# Menestrón

## Ingredientes
(Para 4-6 porciones)

½ kg o un trozo de carne de res
¼ de taza de aceite
2 litros de agua
Sal al gusto

½ taza de poro picado
½ taza de arvejas
1 taza de zanahorias en cubitos
1 taza de zapallito italiano en cubitos

1 taza de col picada
1 choclo en rodajas
2 papas medianas en cuadraditos
250 g de fideos canuto chico

## Preparación

Calentar el aceite y saltear la carne en él. Poner 2 litros de agua, sal y dejar hervir la carne hasta que quede suave. Incorporar las verduras cuando la carne esté tierna. Hervir hasta que las verduras estén casi cocidas y añadir los fideos canuto chico. Agregar agua caliente si fuese necesario. Mezclar con el pesto y dar otro hervor antes de servir.

## Pesto:
Licuar ¼ de taza de aceite con 1 diente de ajo, ½ taza de hojas de albahaca, sal, pimienta, nuez moscada al gusto y 2 cdas. de queso parmesano rallado. Una vez licuado, incorporar el pesto a la sopa anterior. Si desea, agregar 1 trozo de queso fresco y licuar con leche evaporada.

# Parihuela [ nueva receta ]

## Ingredientes
(Para 4-6 porciones)

¼ de taza de aceite
1 cebolla picada en cuadraditos
2 dientes de ajo picados
2 tomates pelados, sin semillas y picados
2 cdas. de pasta de ají amarillo
2 cdas. de pasta de ají panca

1 cdta. de orégano
1 hoja de laurel
Sal y pimienta al gusto
½ taza de vino blanco
6 tazas de caldo de pescado
6 filetes de pescado
1 taza de calamares cortados
en aros

½ kilo de langostinos o
camarones
1 docena de conchas
1 docena de choros cocidos
Jugo de 1 limón
1 cda. de pisco

## Preparación

Freír en aceite caliente la cebolla y el ajo hasta que estén transparentes. Añadir el tomate, las pastas de ají amarillo y ají panca, el orégano y la hoja de laurel. Salpimentar al gusto y cocinar por unos minutos, moviendo constantemente. Agregar el vino. Una vez que hierva, cocinar a fuego lento hasta que se evapore el líquido. Incorporar el caldo y hacer que hierva nuevamente. Poner el pescado, los calamares, las colas de camarón, las conchas y hervir por 3 minutos. A continuación, agregar los choros cocidos. Rociar con gotas de jugo de limón y el pisco. Servir bien caliente.
Puede cambiar los mariscos por otros que desee. No olvide que deben cocinarse por muy poco tiempo para que no se endurezcan.

# Patasca [nueva receta]

## Ingredientes
(Para 4-6 porciones)

½ kg de maíz mote pelado
¼ de kg de mondongo picado
¼ de kg de carne de cerdo
½ pechuga de pollo
150 g de tocino

¼ de kg de papada de cerdo
1/3 de taza de aceite
1 taza de cebolla picada
3 dientes de ajo picados

5 cdas. de pasta de ají panca
Ají verde molido al gusto
Sal y pimienta al gusto
8 tazas de agua

## Preparación

Remojar el maíz el día anterior, con agua que lo cubra. Una vez remojado, quitar «los ojos» (puntas del grano de maíz), con ayuda de un cuchillo o con los dedos. Colocar en una olla el maíz con el mondongo, la papada y agua que los cubra. Cocinar hasta que el mondongo y la papada estén suaves. Añadir las carnes y el tocino. Continuar cocinando hasta que las carnes estén a punto. Retirar 1 taza del maíz ya cocido, licuarlo y reservar. Calentar el aceite en una olla y freír en él la cebolla y los ajos, hasta que estén transparentes. Incorporar los ajíes y salpimentar al gusto. Volcar sobre el aderezo el mote licuado, el mote entero y las carnes con su líquido. Completar 8 tazas. Cocinar por unos minutos y servir bien caliente. Al adquirir el maíz, escoja el que es pelado. Sabrá que está cocido cuando se reviente. Si desea, puede usar cordero en lugar de cerdo o combinarlo con la carne de la receta.

# Sancochado

## Ingredientes
(Para 4-6 porciones)

| | | |
|---|---|---|
| 1 kg de carne de res (pecho o falda) | 6 papas blancas peladas | 2 choclos |
| 2 zanahorias | ½ kg de yucas peladas y en trozos | 1 cdta. de azúcar |
| 1 nabo entero y pelado | ½ col chica | ½ limón |
| 4 ramas de apio | ½ kg de zapallo, en un trozo | ½ kg de camote |
| 1 poro partido en 2 | | |

## Preparación

Poner una olla con abundante agua. Cuando rompa el hervor, agregar la carne. Al volver a hervir, espumar varias veces (con la espumadera, retirar la espuma que se forma en la superficie). Agregar sal al gusto. Poner las zanahorias peladas y enteras, el nabo, el apio y el poro. Dejar hervir. Incorporar las papas, las yucas, la col y el zapallo. A medida que estén cocidas, retirarlas y reservar en otra olla. Aparte, cocinar los choclos con agua, 1 cdta. de azúcar y el jugo de 1/2 limón. Cuando estén, retirar y colocarlos junto con los demás ingredientes cocidos. Hacer lo mismo con los camotes. Acomodar todo con cuidado. Pasar la carne a otra olla cuando esté cocida y colar el caldo. Mantener caliente. Servir el caldo solo y el sancochado en una fuente aparte. Acompañar con salsa criolla o salsas de ají.

Sancochado

# Sopa a la minuta

## Ingredientes
(Para 4-6 porciones)

3 cdas. de aceite
1 cebolla picada
1 diente de ajo picado
1 tomate pelado y picado

Sal y pimienta
1 cdta. de pimentón
1 cdta. de orégano
¼ de kg. de carne molida

4 tazas de caldo de cubito
de carne
250 g de fideos cabello de
angel
½ taza de leche evaporada

## Preparación

Freír la cebolla en el aceite caliente. Añadir el ajo, el tomate, la sal, la pimienta, el pimentón y el orégano. Agregar la carne molida. Una vez que cambie de color, incorporar el caldo y hervir por unos minutos. Añadir los fideos cabello de ángel y, al momento de retirar, añadir la leche. Servir inmediatamente.

# Sopa de cebollas

## Ingredientes
(Para 4-6 porciones)

½ kg de cebollas blancas
100 g de mantequilla
6 cdas. de harina
150 g de queso gruyer rallado
5 tazas de caldo

12 tostadas de pan *baguette* de
1 cm de espesor
1 taza de vino blanco o leche
Queso rallado

## Preparación

Calentar la mantequilla y saltear en ella las cebollas cortadas en juliana (sin que doren, para que no amargue), moviendo con una cuchara de madera. Espolvorear la harina sobre las cebollas y dorarlas ligeramente. Agregar el líquido poco a poco. Cuando la preparación se vea como una salsa espesa, retirar ½ taza de esta mezcla. Continuar incorporando el líquido. Cocinar la sopa por 15 minutos. Sazonar con sal y pimienta. Añadir el queso. Licuar la media taza de la preparación de cebollas. Untar con la pasta cada tostada, espolvorearles queso rallado y llevar al horno a dorar.
Servir colocando en cada plato 2 tostadas de pan y encima la sopa hirviendo. También se puede servir en ollitas de barro: se colocan las tostadas, encima la sopa, se espolvorea el queso rallado y se gratina en el horno.

# Sopa de choros

## Ingredientes
(Para 6 porciones)

2 docenas de choros
4 tazas de agua hirviendo
1 cda. de aceite
1 cebolla picada

Culantro picado en cantidad necesaria
1 taza de papas
½ taza de fideos cabello de ángel
Sal y pimienta al gusto

## Preparación

Lavar los choros y limpiar las valvas con una escobilla. Agregar en el agua hirviendo. Cuando los choros se abran, sacarlos del agua hirviendo y quitarles las valvas. Dorar la cebolla en el aceite caliente. Añadir el caldo de choros, las papas picadas en cuadraditos y los fideos cabello de ángel. Cuando estén a punto, incorporar los choros. Sazonar con sal y pimienta. Servir la sopa espolvoreando con culantro picado.

# Sopa de frejoles y arroz

## Ingredientes
(Para 4-6 porciones)

8 tazas de agua
1 hoja de laurel
½ kg de fréjoles frescos
4 cdas. de aceite

200 g de tomates pelados y picados
1 cubito de caldo
1 taza de arroz

6 hojas de albahaca
1 cebolla picada
1 tallo de apio picado
Sal, pimienta y ají al gusto

## Preparación

Calentar el agua en una olla grande. Añadir sal y 1 hoja de laurel. Al hervir, agregar los frejoles y cocinar hasta que se ablanden. Mantener los frejoles calientes en el agua de cocción. Retirar el laurel. Calentar el aceite en otra olla. Freír la cebolla y el apio. A continuación, añadir el tomate y ají a su gusto. Incorporar el cubito de caldo y 2 o 3 cdas. del agua de la cocción de los frejoles. Dejar que se forme una salsa. Verter esta salsa en la olla de los frejoles. Calentar otra vez hasta que hierva. Incorporar el arroz y cocinar a fuego fuerte. Mezclar de vez en cuando. Picar la albahaca y agregar al final. Debe quedar una sopa espesa. Servir acompañada con queso parmesano.

# Sopa de sémola

## Ingredientes
(Para 6 porciones)

6 tazas de caldo
6 cdas. de sémola
1 cdta. de orégano
3 cdas. de queso parmesano rallado
Sal y pimienta al gusto

### Preparación

Hervir el caldo e incorporar la sémola en forma de lluvia y el orégano. Condimentar con sal y pimienta. Cocinar moviendo constantemente. Bajar el calor y hervir por 10 minutos. Espolvorear el queso parmesano al servir.

# Sopa de verduras

## Ingredientes
(Para 6-8 porciones)

4 cdas. de aceite
1 taza de zapallo en cuadraditos
1 taza de papas en cuadraditos
½ taza de arvejas peladas
½ taza de apio picado

½ taza de vainitas picadas
½ cebolla en cuadraditos
½ pimiento en cuadraditos
3 litros de agua caliente

2 cubitos de caldo de gallina
250 g de fideos tornillo
Queso parmesano rallado
Sal y pimienta al gusto

### Preparación

Calentar el aceite en una olla grande. Agregar todas las verduras y revolver con cuchara de madera. Dejar unos minutos hasta ver la cebolla transparente. Agregar el agua caliente. Condimentar y dejar hervir. Una vez listas las verduras, incorporar los fideos tornillo. Cocinar hasta que estén al dente y servir. Espolvorear queso parmesano al gusto en cada plato.

# Arroces

# Arroz a la albahaca [ nueva receta ]

## Ingredientes
(Para 4-6 porciones)

½ taza de hojas de albahaca
3 cdas, de queso parmesano
¼ de taza de aceite
1 cebolla finamente picada

100 g de hongos secos
100 g de tocino picado
3 tazas de arroz

4½ tazas de caldo preparado
con 3 cubitos de pollo
Sal y pimienta al gusto

## Preparación

Mezclar la albahaca con el queso parmesano hasta formar una pasta. Reservar. Calentar el aceite en una olla. Agregar la cebolla y cocinar hasta que esté transparente. Añadir el tocino y los hongos (lavados, remojados en agua caliente hasta que se suavicen y finamente picados). Añadir el arroz y tostar por unos minutos, moviendo con una cuchara de madera. Verter la mitad del caldo hirviendo y la pasta de albahaca. Mover bien e incorporar el resto del caldo. Cocinar el arroz hasta que esté al dente. Si desea, servir espolvoreado con queso parmesano.

# Arroz a la Indiana

## Ingredientes
(Para 4-6 porciones)

3 tazas de arroz
4 tazas de caldo
2 cdtas. de *curry*
1 manzana pelada y picada

½ taza de pecanas picadas
½ taza de pasas
50 g de tocino frito

## Preparación

Preparar el arroz como de costumbre, pero, en vez de agua, utilizar caldo y agregar el *curry*. Freír el tocino picado e incorporar la manzana, las pasas y las pecanas. Mezclar con el arroz aún caliente, con ayuda de un tenedor para que no se agrume.

# Arroz a las frutas secas y culantro [ nueva receta ]

## Ingredientes
(Para 4-6 porciones)

3 tazas de arroz
½ taza de aceite
2 dientes de ajo picado
3 cdas. de cebolla picada
200 g de tocino picado

2 cdas. de culantro molido
200 g de pasas (entre rubias y negras)
200 g de guindones picados
200 g de pecanas picadas
200 g de aceitunas de botija picadas

## Preparación

Cocinar el arroz como de costumbre. Calentar el aceite, incorporar el tocino y freír. Añadir el culantro y cocinar por unos minutos, mezclando con una cuchara de madera. Agregar las frutas secas y las aceitunas. Dejar al fuego por unos minutos y mezclar con el arroz ya cocido. Ideal para acompañar cualquier tipo de carne.

# Arroz a la Soubise

## Ingredientes
(Para 4-6 porciones)

4 tazas de cebolla blanca picada
4 cdas, de margarina
2 tazas de arroz
½ taza de vino blanco seco

3 tazas de caldo de pollo
1 hoja de laurel
1 taza de crema de leche
1/3 de taza de queso parmesano rallado

## Preparación

En una olla tapada, cocinar la cebolla en la margarina durante 15 minutos. Destapar la olla y dejar cocinar unos minutos más, para evaporar todo el líquido. Incorporar el arroz. Mezclar por unos minutos. Agregar el caldo, el vino, la hoja de laurel y cocinar hasta que el arroz esté a punto. Añadir la crema de leche y el queso rallado.
Revolver suavemente con un trinche y servir.

# Arroz árabe

## Ingredientes
(Para 4-6 porciones)

3 cdas. de margarina o aceite
½ kg de fideo cabello de ángel
2 tazas de arroz
1 cdta. de sal

1 cdta. de palillo
1 cubito de caldo de pollo
Agua hirviendo
½ taza de pasas (opcional)

## Preparación

Calentar la margarina en una cacerola. Echar los fideos partidos en trozos de 1 cm y dejar que doren. Agregar el arroz y las pasas y revolver, dejando dorar por unos minutos más. Añadir la sal, el palillo y el cubito de pollo. Incorporar el agua hirviendo y mezclar. Cuando rompa el hervor, tapar la olla y bajar el fuego al mínimo. Cocinar por unos 20 minutos o hasta que el arroz esté graneado. Una vez listo, agregar una verdura cocida y picada para darle color.
La cantidad de agua varía según el tipo de arroz que se use y la altura de la ciudad.


# Arroz chaufa con pollo

## Ingredientes
(Para 6 porciones)

¼ de kg de pollo sancochado
4 huevos
1 cdta. de azúcar

Sal
Aceite en cantidad necesaria
6-8 cebollas chinas finamente picadas

3 cdas. de sillao
8 cdas. de aceite
3 tazas de arroz cocido

## Preparación

Cortar el pollo en cubos pequeños. Preparar una tortilla, batiendo los huevos con sal y 1 cdta. de azúcar. Freírla en 3 cdas. de aceite y picar igual que el pollo. Calentar en una olla 5 cdas. de aceite y saltear el arroz. Añadir el pollo, la tortilla, el sillao y la cebolla china. Rectificar la sal. Servir caliente.
Si desea preparar arroz chaufa de camarones, reemplazar el pollo por colitas de camarones sancochadas. Si es de chancho, reemplazar por ¼ de kg de lomo de chancho asado.
El arroz chaufa también puede ser preparado con trozos de pollo a la brasa.

# Arroz con aceitunas

## Ingredientes
(Para 4-6 porciones)

| | |
|---|---|
| ¼ de kg de aceitunas de botija | Sal y pimienta |
| 3 cdas, de aceite | 3 tazas de arroz |
| 2 dientes de ajo picados | 4½ tazas de agua hirviendo |
| Ají verde molido al gusto | ½ taza de pasas (opcional) |

## Salsa de queso
(Opcional)

1 medida de salsa blanca
mediana (ver receta p. 18)
½ taza de queso palmesano
rallado

## Preparación

Quitar las pepas a las aceitunas y darles un golpe de licuadora para que no se deshagan total-mente. Calentar el aceite y freír los ajos, las aceitunas y el ají. Salpimentar. Incorporar el arroz, mezclar bien y añadir el agua y las pasas. Al romper el hervor, bajar el calor y cocinar por 17 minutos.

## Armado:
Volcar el arroz caliente en un molde aceitado, con tubo en el centro. Presionar. Desmoldar sobre la fuente en que se va a servir y bañar con la salsa de queso. El arroz debe estar bien caliente antes de ser desmoldado. Si desea, servir con la salsa de queso.

# Arroz con alcachofas

## Ingredientes
(Para 4-6 porciones)

| | | |
|---|---|---|
| 5 cdas, de aceite | ½ taza de arvejas | 1 hoja de laurel |
| 1 cebolla picada | Sal y pimienta al gusto | Queso parmesano rallado |
| 1 diente de ajo picado | 2 tazas de arroz | 1 cdta, de perejil picado |
| 6 corazones de alcachofa | 3 tazas de agua | |

## Preparación

Calentar el aceite y freír la cebolla. Añadir el ajo, los corazones de alcachofa crudos y cortados en cubos, las arvejas, la sal y la pimienta al gusto. Incorporar el arroz, el agua hirviendo y la hoja de laurel. Tapar y, cuando rompa el hervor, bajar el calor. Cocinar por unos 17 minutos. Para servir, espolvorear con queso parmesano y perejil. Cuando use olla arrocera, el agua que utilice debe estar fría.

# Arroz con chancho

## Ingredientes
(Para 4-6 porciones)

4 cdas. de manteca o aceite
½ kg de carne de chancho
en trozos
2 dientes de ajo picados
2 cebollas picadas

Aií molido al gusto
1 cdta. de pimentón
Sal y pimienta
4 ½ tazas de agua caliente

½ taza de arvejas
½ taza de choclo desgranado
3 tazas de arroz
Camotes o plátanos fritos

## Preparación

Calentar la manteca y, freír los trozos de carne, los ajos, las cebollas, el ají y el pimentón. Salpimentar. Añadir el agua, cocinar la carne e incorporar las arvejas y el choclo. Cocinar hasta que esté casi a punto. Agregar el arroz, dejar hervir, bajar el fuego y cocinar hasta que el arroz esté graneado. Acompañar con camotes o plátanos fritos y salsa criolla (se prepara con cebolla a la pluma, ají, sal, pimienta, aceite y vinagre).

# Arroz con carne

## Ingredientes
(Para 6-8 porciones)

3 tazas de arroz
100 g de tocino
1 cebolla
1 diente de ajo
100 g de hongos

50 g de salchicha
100 g de carne molida
2 pimientos
3 filetes de anchoas (opcional)
½ vaso de vino blanco

4 tazas de caldo
Aceite
Queso parmesano al gusto
Sal y pimienta al gusto

## Preparación

Freír el tocino, la cebolla y el ajo en aceite. Añadir los hongos, la salchicha, la carne, los pimientos y las anchoas. Cocinar por 15 minutos. Rociar con el vino. Salpimentar. Agregar 1 taza de caldo y dejar absorber. Echar el arroz y 1 taza más de caldo. Conforme se evapore, incorporar más caldo. Espolvorear con queso parmesano para servir.

# Arroz con mariscos

## Ingredientes
(Para 6-8 porciones)

½ kg de camarones
2 docenas de choros
2 docenas de machas
4 docenas de conchas
½ Taza de aceite
2 cebollas picadas

1 cda. de ajos molidos
4½ tazas de caldo
1 cda. de ají mirasol
3 tazas de arroz extra
1 cda. de ají panca

Ají verde al gusto
1 cdta. de comino
1 cdta. de orégano
1 cda. de culantro molido
Sal y pimienta al gusto

## Preparación

Quitar el coral a los camarones y reservarlos. Retirar las colas y pelarlas. Cocinar las cabezas de los camarones en 2 tazas de agua durante 10 minutos. Luego, licuar con su líquido y colar. Lavar los choros. Cocinar por 5 minutos en 2 tazas de agua. Desechar los que no se abrieron. Limpiar los demás mariscos. Freír en el aceite caliente las cebollas, el ajo, los ajíes, el coral (colado), el culantro, el comino y el orégano. Salpimentar. Cocinar unos minutos. Agregar 1 taza de caldo. Incorporar los mariscos (sin las conchas) y continuar la cocción unos minutos más. Retirar todos los mariscos. Agregar el resto del caldo de choros y el líquido de los camarones. Añadir el arroz. Cocinar por 15 minutos. Incorporar los mariscos y las conchas. Mezclar bien. Reposar 10 minutos y servir.

# Arroz con pato

## Ingredientes
(Para 4-6 porciones)

½ taza de aceite
4-6 presas de pato
2 cebollas picadas
3 dientes de ajo picados
Ají verde molido al gusto

½ taza de culantro molido
1 copita de pisco
4 tazas de agua
1 taza de cerveza
¾ de taza de arvejas

½ taza de zanahorias
½ pimiento picado
½ pimiento en tiras
1 ají cortado en tiras
3 tazas de arroz

## Preparación

Calentar el aceite y freír las presas de pato, previamente salpimentadas. Retirar y freír en el mismo aceite la cebolla, el ajo y el ají molido. Agregar el culantro. Cocinar unos minutos e incorporar el pisco, el agua y la cerveza. Poner nuevamente las presas de pato y cocinarlas hasta que estén tiernas. Retirarlas otra vez, manteniéndolas calientes en una olla. Incorporar las arvejas, las zanahorias, los pimientos, el ají en tiras y el arroz. Tapar y, cuando rompa el hervor, bajar el fuego y cocinar por 17 minutos. Servir el arroz con las presas de pato calientes.

# Arroz con pollo

## Ingredientes
(Para 4-6 porciones)

4-6 presas de pollo
½ taza de aceite
1 cebolla picada en cuadraditos
3 dientes de ajo picados
Ají verde molido al gusto

½ taza de culantro molido
1 cda. de pasta de ají panca
1½ tazas de cerveza (opcional)
3 tazas de arroz
¼ de taza de arvejas

¼ de taza de choclo desgranado
¼ de taza de zanahoria picada
1 pimiento cortado en tiras
Agua hirviendo en cantidad
necesaria

## Preparación

Lavar el pollo y secarlo. Cortarlo en presas, salpimentar y freír en aceite caliente. Retirar el pollo y, en ese mismo aceite, dorar los ajos, la cebolla, el ají, el culantro y la pasta de ají. Volver a poner las presas, añadir la cerveza y cocinar hasta que el pollo esté a punto. Retirar las presas y mantenerlas calientes. Incorporar el arroz, las arvejas, la zanahoria, el choclo y el pimiento. Añadir el agua, rectificar la sazón y cocinar por 17 minutos. Servir con las presas de pollo. La pasta de ají panca hará que el culantro tome un color verde intenso.

# Arroz mediterráneo [ nueva receta ]

## Ingredientes
(Para 4-6 porciones)

3 cdas. de aceite
1 cebolla
2 dientes de ajo
1 ½ pimientos rojos en
cubitos

150 g de champiñones
(opcional)
Sal y pimienta al gusto
2½ tazas de arroz
1 taza de tomates pelados y
picados

Agua o caldo en cantidad
necesaria
50 g de aceitunas verdes o
de botija
12 hojas de albahaca
trozadas

## Preparación

Calentar el aceite en una sartén profunda. Agregar la cebolla y el ajo picados. Saltear unos minutos. Incorporar el pimiento. Saltear. Si utiliza champiñones, este es el momento de ponerlos. Remover con una cuchara de madera. Incorporar el arroz y mezclarlo bien con los vegetales. Agregar el caldo necesario para la cocción del arroz y, a último momento, antes de servir, agregar las aceitunas en trozos y la albahaca fresca.

Arroz con pollo

# Arroz Nochebuena [ nueva receta ]

## Ingredientes
(Para 4-6 porciones)

3 tazas de arroz
Caldo (cantidad según el tipo de arroz que use)
4 cdas. de mantequilla
1 cda. de aceite

1-2 cdas. de rocoto sin semillas picado en cuadraditos
1 taza de aceitunas verdes picadas en cuadraditos
1 pimiento rojo picado en cuadraditos
¾ de taza de perejil finamente picado

## Preparación

Preparar el arroz como de costumbre. En una sartén, derretir la mantequilla con el aceite, freír el rocoto e incorporar las aceitunas y el pimiento. Cocinar por unos minutos. Mezclar con el arroz cocido y, al final, añadir el perejil. Si prepara el arroz en la olla arrocera, incorpore el caldo frío.

# Arroz pilaf

## Ingredientes
(Para 6-8 porciones)

1 kg de arroz
Caldo en cantidad necesaria
3 cebollas
100 g de margarina
1 lata de leche evaporada

1 cdta. de ají molido
1 cdta. de pimentón
100 g de queso parmesano
¼ de kg de pecanas

## Preparación

Preparar el arroz sin aderezo. En vez de agua, usar caldo. Licuar las cebollas y dorarlas en la margarina. Agregar la leche evaporada y el resto de ingredientes. Calentar y mezclar con el arroz recién hecho. Servir caliente

# Arroz rústico

## Ingredientes
(Para 4-6 porciones)

2 cdas. de aceite
2 cebollas chicas
1 tallo de apio
2 tazas de arroz
3 tazas de agua caliente

2 cubitos de caldo
½ taza de vino blanco seco
(opcional)
2 tazas de espinacas o
acelgas

40 g de margarina
3 cdas. de queso parmesano
rallado
2 cdas. de perejil picado
Sal al gusto

## Preparación

Calentar el aceite. Saltear en él las cebollas y el apio picado. Agregar el arroz y revolver unos minutos para que se integren los sabores. Incorporar el agua y los cubitos de caldo disueltos. Agregar el vino blanco. Condimentar con sal al gusto. Incorporar las hojas verdes picadas. Mezclar y dejar cocinar el arroz como de costumbre. Una vez listo y aún caliente, revolver con la margarina, el queso parmesano y el perejil.

# Arroz tapado

## Ingredientes
(Para 4-6 porciones)

2 tazas de arroz cocido

## Relleno
1 cebolla picada finamente
1 diente de ajo picado

Ají verde picado al gusto
1 cdta. de pimentón
4 cdas. de aceite
350 g de carne molida
Sal y pimienta

2-3 huevos duros
¼ de taza de pasas
8 aceitunas de botija sin
pepas
Perejil picado

## Preparación

Freír la cebolla, el ajo, el ají y el pimentón en el aceite caliente. Incorporar la carne y mezclar bien hasta que cambie de color. Salpimentar y cocinar. Retirar del calor e incorporar las pasas, las aceitunas y el huevo duro picado.

## Armado:
Colocar en moldes refractarios individuales una capa de arroz, luego el relleno y cubrir con otra capa de arroz. Desmoldar sobre el plato en que se va a servir y adornar con perejil picado. Puede variarse el relleno cambiando la carne por atún o pollo.

# Delicia de arroz

## Ingredientes
(Para 4-6 porciones)

¼ de taza de margarina
¼ de taza de harina sin preparar
2 tazas de leche
1 cdta. de sal
¼ de cdta. de pimienta

¾ de taza de queso Edam rallado
¾ de taza de aceitunas de botija picadas
½ cdta. de cebolla rallada
2 tazas de arroz cocido
6 huevos duros

## Preparación

Hacer una salsa con la margarina, la harina sin preparar, la leche, la sal y la pimienta. Mezclar con el ¼ de taza de queso y las aceitunas. Colocar la mitad de la mezcla en un molde aceitado. Luego, poner encima los huevos duros, cubrir con el resto de arroz y espolvorear el sobrante del queso. Servir muy caliente.

# *Risotto* a la milanesa

## Ingredientes
(Para 4-6 porciones)

1 cebolla blanca picada en cubitos
150 g de margarina
1 cda. de hongos secos
Hebras de azafrán (opcional)

2 tazas de arroz
5 tazas de caldo
Sal al gusto
6 cdas. de queso parmesano

## Preparación

Freír la cebolla en la margarina. Incorporar los hongos previamente remojados, el azafrán y el arroz. Saltear un momento e incorporar el caldo. Condimentar con poca sal, tapar la cacerola y dejar hervir a fuego lento hasta que esté espeso y el arroz esté cocido. Debe quedar jugoso (agregar el caldo necesario). Servir espolvoreando el queso rallado.

# *Risotto* con hongos [ nueva receta ]
# y cebollas caramelizadas

## Ingredientes
(Para 4-6 porciones)

2 cebollas
2 cdas de aceite de oliva
4 cdas. de mantequilla
Azúcar
1 taza de arroz Arborio
150 g de hongos *portobello* o champiñones

5 cdas. de vino blanco
2 tazas de caldo de pollo
1½ cdtas. de hojas de tomillo
1 cdta. de orégano
1 pizca de comino en polvo
100 g de queso parmesano

## Preparación

Cortar las cebollas en juliana. Calentar el aceite y la mitad de la mantequilla en una sartén a fuego medio o alto y saltear las cebollas con un poquito de azúcar, hasta dorar y caramelizar. Incorporar el arroz y los hongos cortados en cuartos. Revolver 1 minuto. Verter el vino y cocinar hasta que el arroz lo absorba. Ir agregando caldo caliente poco a poco, a medida que el arroz lo necesite. Aromatizar con el tomillo, el orégano y el comino. Al final de la cocción, añadir el queso parmesano rallado y la mantequilla restante. Sazonar con sal y pimienta al gusto. *Sartenear* para integrar. Dejar reposar unos minutos y servir en platos hondos. Decorar con ramas de tomillo y orégano.
Sartenear: mover la sartén sin usar utensilios (por ejemplo, cuchara de madera).

# *Risotto* de calamares [ nueva receta ]

## Ingredientes
(Para 4-6 porciones)

¾ de taza de mantequilla
½ taza de cebolla picada
2 tazas de arroz de grano largo
(de preferencia Arborio)
½-¾ de taza de queso parmesano rallado

2 tazas de caldo de pescado (aprox.)
2 cdas. de aceite
1 taza de calamares pelados y cortados en aros de 1 cm
1½ cdas. de perejil picado
Pimienta negra

## Preparación

Derretir, en una olla o sartén amplia y de fondo grueso, la mitad de la mantequilla. Agregar la cebolla y cocinarla hasta que esté transparente. Añadir el resto de mantequilla y el arroz, moviendo con una cuchara de madera. Los granos de arroz deben impregnarse de la grasa y volverse transparentes. Incorporar 1 taza de caldo hirviendo y cocinar por 1 a 2 minutos, sin dejar de revolver, asta que el caldo sea absorbido. Añadir otro poco de caldo y seguir moviendo hasta que desaparezca. Ir añadiendo el caldo necesario, sin dejar de mover, y terminar cuando el arroz esté a punto. Incorporar el queso parmesano y los calamares salteados en el aceite caliente. Espolvorear con el perejil y la pimienta negra recién molida. En algunos *risotto* se utiliza también vino blanco o se cambia la mantequilla por aceite. Si no desea los calamares salteados, puede hervirlos por 1 o 2 minutos. Luego los debe unir al arroz

# *Risotto* de quinua con arvejas o quinoto [ nueva receta ]

## Ingredientes
(Para 6 porciones)

150 g de tocino ahumado picado
5 cdas. de mantequilla
1 cebolla picada finamente
3 dientes de ajo picados
1½ tazas de quinua bien lavada
4 tazas de caldo de pollo
1 taza de espárragos picados y cocidos

1 taza de arvejas cocidas
¾ de taza de queso parmesano rallado
¼ de taza de crema o leche evaporada pura
2 cdas. de perejil picado (o tomillo, estragón o la hierba fresca de su agrado)
Sal y pimienta

## Preparación

Calentar una sartén y colocar el tocino para desgrasarlo hasta que quede crocante. Reservar. Calentar la mantequilla en una sartén honda. Agregar la cebolla y el ajo y saltear hasta dorar. Incorporar la quinua. Mojar con 1 taza de caldo caliente y cocinar hasta que la quinua lo absorba, revolviendo a menudo. Verter más caldo a medida que la preparación lo requiera. Cocinar, revolviendo cada tanto, hasta que la quinua esté a punto. Añadir los espárragos y las arvejas y seguir cocinando unos 3 minutos más. Por último, incorporar el queso parmesano y la crema, las hierbas picadas y el tocino. Sazonar con sal y pimienta.

Puede reemplazar la quinua de este *risotto* por la misma cantidad de trigo. Si utiliza quinua perlada, no necesita lavarla. Las arvejas y los espárragos se cocinan por separado en agua hirviendo con sal. Una vez cocidos, se escurren y se colocan en agua con hielo, para mantener el color verde brillante.

# Segundos

# Adobo de cerdo

## Ingredientes
(Para 8 porciones)

1 kg de carne de cerdo
¾ de taza de vinagre
1 cdta. de achiote
1 cdta. de comino molido

¾ de taza de ají panca molido
½ taza de aceite
3 dientes de ajo picados
Sal y pimienta al gusto

## Preparación

Cortar la carne en trozos y ponerla a macerar con vinagre, achiote, comino, ají, sal y pimienta, de preferencia toda la noche. Freír los ajos en el aceite. Agregar los trozos de cerdo y la mitad del líquido de maceración. Cocinar con la olla tapada hasta que la carne esté cocida. Si fuera necesario, añadir más líquido hirviendo. Servir con yucas, papas o camotes sancochados y, si desea, arroz blanco.

# Ají de gallina

## Ingredientes
(Para 4-6 porciones)

½ taza de aceite
2 dientes de ajo picados
2 cebollas picadas
3 cdas. de ají mirasol molido
Ají verde molido al gusto

2 cdas. de ají panca
4 rebanadas de pan
1 taza de caldo de pollo
1 pechuga de gallina o pollo
sancochada y desmenuzada

2 cdas. de nueces finamente
picadas
3 cdas. de queso parmesano
rallado
¼ de taza de leche evaporada
pura
Sal y pimienta

## Preparación

Poner el aceite en una olla y dorar los ajos, la cebolla, el ají mirasol, el ají verde, la sal y la pimienta. Agregar el pan previamente remojado en agua y exprimido. Llevar a fuego lento, moviendo con una cuchara de madera. Cocinar hasta que el aceite suba a la superficie. Incorporar el caldo. Añadir la gallina o el pollo, las nueces, el queso y, al final, la leche evaporada. Dar un hervor mezclando suavemente. Servir sobre papas sancochadas. Adornar con huevos duros y aceitunas. Acompañar con arroz blanco.

**Ají de gallina**

# Ajiaco de caiguas, ollucos o papas

## Ingredientes
(Para 4-6 porciones)

| | | |
|---|---|---|
| 1/3 de taza de aceite | 1 cubito de caldo de carne | 6 caiguas cocidas en tiras, |
| 1 cebolla picada | ½ taza de leche | ¾ de kg de ollucos picados |
| 2 dientes de ajo picados | ½ kg de papas sancochadas | o 1 kg de papas peladas, |
| Pimienta, sal y comino al gusto | y desmenuzadas | sancochadas y desmenuzadas |
| 4 cdas. de ají mirasol | Culantro picado | 2-3 huevos duros para |
| ½ taza de agua | 150 g de queso fresco des- | adornar |
| | menuzado | |

## Preparación

Calentar el aceite y freír la cebolla y los ajos. Agregar pimienta, sal, comino y ají. Cuando el aderezo esté listo, añadir el agua, el cubito de caldo de carne, la leche, el queso y las caiguas o los ollucos. Dejar cocinar unos minutos. Luego añadir las papas. Espolvorear con culantro y adornar con huevo duro. Servir con arroz graneado.

# Alas de pollo al *curry*

## Ingredientes
(Para 6 porciones)

| | |
|---|---|
| ¼ de taza de harina sin preparar | 2 cdtas. de *curry* |
| 1 cda. de pimentón o páprika | 1 cdta. de sal |
| 1 kg de alas de pollo bien secas | 1 taza de caldo de pollo |
| ¼ de taza de margarina | 1 taza de duraznos al jugo |
| 2 cdas. de aceite | |

## Preparación

Mezclar la harina sin preparar con el pimentón y la sal. Pasar las alas de pollo por esta mezcla. Calentar el aceite con la margarina y freír las alitas hasta dorar. Espolvorear el *curry* y añadir el caldo. Incorporar los duraznos y servir bien caliente. Acompañar con arroz blanco

# Albóndigas

## Ingredientes
(Para 4-6 porciones)

½ kg de carne molida de res
2 tajadas de pan de molde
½ taza de leche
1 huevo
1 cebolla picada

2 dientes de ajo picados
½ cdta. de hierbas molidas
(tomillo, orégano)
2 cdas. de margarina
4 cdas. de harina sin preparar

5 cdas. de pan molido
1 cda. de perejil picado
Sal y pimienta al gusto
Aceite en cantidad necesaria

## Preparación

Mezclar la carne con el pan (previamente remojado en la leche y exprimido), el huevo, la cebolla, los ajos, las hierbas, la mitad de la margarina, la mitad del pan molido, el perejil picado, la sal y la pimienta. Revolver muy bien y dejar reposar la mezcla una ½ hora. Formar las bolitas del tamaño de una nuez. Pasarlas por la harina y por el resto del pan molido. Freír en suficiente aceite. Una vez doradas, retirar y apoyar en papel absorbente. Servir así o bañadas con salsa de tomate, acompañar con arroz o papas fritas.

# Asado a la italiana

## Ingredientes
(Para 6-8 porciones)

1 asado pejerrey de 1½ kg
200 g de tocino
2 dientes de ajo molidos
Sal y pimienta al gusto
2 dientes de ajo picados

4 tomates pelados
2 hojas de laurel
½ taza de zanahoria rallada
4-5 cdas. de aceite
½ taza de vino tinto

1 cebolla finamente picada
1 rama de apio
1 cda. de perejil picado
½ taza de pasta de tomate

## Preparación

Mechar el asado con el tocino picado mezclado con los ajos molidos, la sal y la pimienta. Dejar macerar por 2 o 3 horas. Dorar la carne en el aceite caliente. Añadir el vino y cocinar por 10 minutos. Aparte, freír la cebolla, los ajos, los tomates, la zanahoria, el apio, el perejil y el laurel. Pasar la salsa por un colador e incorporarla al asado, al igual que la pasta de tomate disuelta en 1/2 taza de agua. Dejar cocinar a fuego suave y con la olla tapada, hasta que la carne esté tierna.

# Asado a la olla

## Ingredientes
(Para 4-6 porciones)

4 cdas. de aceite
1 kg de asado de res
2 cebollas finamente picadas
2 hojas de laurel

Sal y pimienta al gusto
1 taza de vino tinto
Caldo de carne en cantidad necesaria

## Preparación

Dorar en el aceite la carne a fuego fuerte. Una vez sellado, bajar la temperatura. Incorporar la cebolla y freiría bien. Agregar las hojas de laurel, la sal, la pimienta y el vino. Tapar la olla y cocinar a fuego muy lento, hasta que la carne esté a punto. Si fuera necesario, agregar caldo hirviendo durante la cocción. También se puede mechar la carne como el asado a la italiana (ver receta).

# Bacalao con garbanzos [ nueva receta ]

## Ingredientes
(Para 4-6 porciones)

500 g de bacalao
3 tazas de garbanzos cocidos
Aceite de oliva
1 pimiento en tiras

4 dientes de ajo picados
2 cdas. de pimentón (páprika)
Pimienta recién molida

## Preparación

Colocar el bacalao en un recipiente con agua que lo cubra. Cambiar el agua cada hora por 3 veces. Dejarlo toda la noche. Cortar en trozos y cocinarlo en agua sin sal. Saltear en un fondo de aceite los ajos, el pimiento y los garbanzos, en este orden. Agregar el bacalao, espolvorear el pimentón y 1 chorrito de aceite de oliva. Continuar la cocción. Servir de inmediato. Si desea, puede agregar 1 atado de acelga picado luego de poner los garbanzos. Como piqueo, utilice garbanzos remojados y bien secos. Poner en 1 lata de horno bien aceitada. Espolvorear con sal. Cocinar en horno moderado durante 20 minutos.

# Brazuelo de cerdo [ nueva receta ]

## Ingredientes
(Para 8-10 porciones)

## Salsa

1 brazuelo de cerdo
2 cdas. de aceite
2 dientes de ajo picados
1 cda. de orégano
Sal y pimienta al gusto

½ taza de miel de abeja
½ taza de mermelada (piña o
albaricoque)
1 cda. de kion rallado

1 cda. de mantequilla
1 cebolla picada
½ taza de vino blanco o caldo
1 cdta. de chuño
2 cdas. de agua fría

## Preparación

Mezclar el aceite con el ajo, el orégano, la sal y la pimienta. Frotar con esa preparación el brazuelo, colocado en una asadera. Dejar macerar toda la noche. Calentar por 10 minutos el horno
en fuego moderado. Poner la asadera con el cerdo y cocinar por 1½horas. Retirar del horno y
untarlo con la miel y la mermelada. Espolvorear con el kion rallado, cubrir con papel aluminio y
hornear ½ hora más o hasta que la carne esté cocida.

## Salsa:

Dorar la cebolla en la margarina. Añadir el vino o el caldo y el jugo que se formó al cocinar el
brazuelo. Agregar 1 cdta. de chuño disuelto en 2 cdtas. de agua fría. Dejar hervir 3 minutos,
hasta espesar. Servir en salsera aparte. Colocar el brazuelo en una fuente y decorar con rodajas
de piña, cerezas marrasquinos y hojas verdes alrededor. Cubrir el hueso del cerdo con papillote.

# Cabrito al horno

## Ingredientes
(Para 4-6 porciones)

½ taza de aceite
Sal y pimienta al gusto
1 cda. de ajos picados

1 cda. de orégano
1 cabrito de 5-6 kg

4 papas
3 camotes

## Preparación

Mezclar en un tazón el aceite, con la sal, la pimienta, los ajos y el orégano. Untar bien con este
preparado el cabrito, previamente trozado. Dejar macerar toda la noche en la refrigeradora,
tapado. Colocar en una asadera y hornear a temperatura moderada (175°C - 350°F) por más o
menos 1 hora. Dar un hervor a las papas y camotes pelados y en trozos, que se terminarán de
cocinar y dorar en la misma fuente del cabrito.

# Caiguas y pimientos rellenos

## Ingredientes
(Para 4-6 porciones)

6 caiguas o 6 pimientos
medianos
3 cdas. de aceite
1 cebolla picada
1 diente de ajo picado

300 g de carne de res o cerdo
2 rebanadas de pan
3 huevos (1 duro)
2 cdas. de pasas

1 cda. de perejil picado
2 cdas. de aceite
1 tomate
1 cdta. de pimentón

## Preparación

Cortar el extremo más ancho de las caiguas, retirar las pepas, lavar y escurrir. Calentar el aceite y freír la cebolla, los ajos y el ají. Incorporar la carne molida y cocinar hasta que cambie de color. Fuera del fuego, incorporar el pan remojado en leche y triturado, el huevo duro picado, las pasas y el perejil. Mezclar y retirar del fuego. Rellenar cada caigua con una porción de la preparación anterior. Poner aceite en una olla y freír el tomate pelado y picado. Agregar el pimentón, la sal, la pimienta y ½ taza de agua. Luego colocar las caiguas para que se cocinen a fuego lento. Antes de retirar, añadir 2 huevos batidos a la salsa. Para los pimientos, cortar 1 tapita y retirar las semillas. Rellenar y cocinar de la misma manera

# Carapulcra de garbanzos [ nueva receta ]

## Ingredientes
(Para 4-6 porciones)

½ kg de garbanzos
3 hojas de laurel
1 taza de cebolla picada
4 cdas. de pasta de ají panca

1 ½ tazas de maní tostado molido
½ cdta. de pimienta molida
¼ de cdta. de comino molido
Sal al gusto

3 cdas. de aceite
2 cubitos de caldo de carne
2 cdas. de ajo picado

## Preparación

El día anterior remojar los garbanzos en abundante agua. Poner a cocinar los garbanzos con las hojas de laurel, hasta que estén suaves. Escurrir y reservar en agua. Moler los garbanzos sin las hojas de laurel. No deben quedar como puré. En una olla poner el aceite y dorar la cebolla. Añadir los ajos y el ají panca. Freír bien y agregar el maní y un poco del agua hirviendo en la que se cocinaron los garbanzos. Incorporar los garbanzos, mezclar bien y poner los cubitos. Sazonar con la sal, la pimienta y el comino. Añadir el agua de la cocción de los garbanzos, si fuera necesario. Cocinar a fuego lento por 15 minutos, moviendo de rato en rato.

# Carapulcra limeña

## Ingredientes
(Para 6 porciones)

½ kg de papa seca
¼ de taza de aceite
¼ de taza de manteca vegetal
½ kg de carne de cerdo
½ kg de carne de pollo

1 taza de cebolla picada
2 dientes de ajo picados
½ taza de ají panca molido
Ají verde al gusto
Sal, pimienta y comino al gusto

2 tazas de caldo de pollo
¼ de taza de vino dulce
¼ de cdta. de clavo de olor
6 rosquitas molidas de manteca (opcional)
½ taza de maní tostado y molido

## Preparación

Lavar la papa seca y remojarla por ½ hora. Calentar el aceite con la manteca y freír las carnes de cerdo y pollo cortadas en trozos. Retirarlas. En la misma grasa, freír la cebolla hasta que esté cocida. Acto seguido, poner el ajo y los ajíes. Sazonar con la sal, la pimienta y el comino. Volver las carnes a la olla y añadir el caldo caliente y el vino. Incorporar la papa seca escurrida y el clavo de olor. Cocinar a fuego suave, moviendo de rato en rato con una cuchara de madera. Agregar agua o caldo hirviendo si la preparación se seca. Unos minutos antes de terminar la cocción, incorporar las rosquitas y el maní. Servir con yucas sancochadas.

# Cau cau a la criolla

## Ingredientes
(Para 4-6 porciones)

¾ de kg de mondongo
2 cdas de leche
2 ramas de hierbabuena
½ taza de aceite

1 cebolla picada
½ cda. ajos picados
¼ cda. de comino
Ají molido al gusto

1 cdta. de palillo
1 kg de papa cocida en cuadraditos
Sal al gusto
Jugo de 1 limón

## Preparación

Cocinar el mondongo con agua que lo cubra, la leche y la rama de hierbabuena, hasta que esté suave. Cortar en cuadraditos. Calentar el aceite y freír la cebolla, los ajos, el comino, el ají y el palillo. Ya bien cocido, añadir el mondongo y las papas. Dar un hervor, espolvorear la hierbabuena picada y rociar con el jugo de limón. Servir con arroz blanco.

## Variaciones
De choros: Puede cambiarse el mondongo por choros. Lavarlos bien y ponerlos en una olla con agua que los cubra. Cuando hiervan y se abran, retirarlos. Sacarlos de sus valvas. Desechar los que no se abrieron y seguir las mismas indicaciones del cau cau a la criolla.
De pollo: Reemplazar el mondongo por pollo sancochado y cortado en cuadraditos.

# Cau cau de mariscos [ nueva receta ]

## Ingredientes
(Para 4-6 porciones)

3 cdas. de aceite
1 cebolla picada en cuadraditos
1 cdta. de ajos picados
1 cdta. de palillo
1 ¼ tazas de caldo de pescado

¼ de taza de zanahoria cocida
150 g de pulpo sancochado
200 g de Conchitas de abanico
½ taza de choclo, cocido
½ taza de arvejas cocidas

2 tazas de papas blancas cocidas y cortadas en cuadraditos
1 cda. de ají limo molido
2 ramas de hierbabuena picadas
Sal y pimienta al gusto

## Preparación

Calentar el aceite y freír durante unos minutos la cebolla y el ajo. Agregar el palillo, el caldo, las arvejas, la zanahoria, las papas, el choclo, el ají limo, las conchitas y el pulpo. Hervir por 3 minutos (no exceder este tiempo, para que los mariscos no se endurezcan). Espolvorear la hierbabuena y salpimentar al gusto.

# Cerdo a la cerveza negra

## Ingredientes
(Para 4-6 porciones)

1 trozo de cerdo(½ kg aprox.)
1 kg de cebollas
2 tazas de azúcar rubia

3 tazas de cerveza negra
6 clavos de olor
Sal y pimienta al gusto

## Preparación

En una fuente para horno aceitada, colocar las cebollas en tiras y el cerdo en un solo trozo, con los clavos de olor insertados en él. Espolvorear con el azúcar y agregar la cerveza.
Cocinar en el horno precalentado a 180°C - 360°F durante ½ hora. Luego bajar el fuego a mínimo y continuar 30 minutos más. Se puede preparar directamente a la olla.
Para servir, acompañar con arroz a las frutas secas y culantro, arroz árabe o *risotto* a la milanesa (ver recetas).

# Cerdo a la naranja con torre [ nueva receta ] de quinua (celíacos)

## Ingredientes
(Para 4-6 porciones)

1 kg de carne de cerdo en 1 trozo
Hojas de perejil
Romero
Pimienta
3 dientes de ajo

2 naranjas
2 cdas. de mostaza
2 cdas. de mermelada de naranja (apta para diabéticos y celíacos)
200 g de papas

2 cdas. de aceite
1 cebolla en juliana
1 pimiento rojo en juliana
100 g de quinua

## Preparación

Limpiar bien la carne y ponerla en una fuente con las hojas de perejil y romero, el ajo picado, la pimienta y el jugo de naranja. Dejar macerar unas horas en la refrigeradora.
Mezclar la mostaza con la mermelada de naranja y unir el resto de la maceración. Verificar que la carne quede bien untada. Condimentar con pimienta recién molida.
Servir con papas doradas y 1 torre de quinua cocida, mezclada con queso rallado o queso crema.

# Cerdo en salsa hawaiana [ nueva receta ]

## Ingredientes
(Para 4-6 porciones)

## Marinada

1 kg de cerdo (puede ser chuleta deshuesada) en 1 solo trozo
Aceite para untar la fuente del horno

2 dientes de ajo picados
1 cebolla picada
½ taza de vino blanco (o caldo de carne y 1 cda. de vinagre)

Piña en almíbar
Sal y pimienta al gusto
½ cda. de chuño o maicena

## Preparación

### Marinada:
Mezclar el ajo, la cebolla, el vino o caldo y 1 taza del almíbar de la piña. Salpimentar. Colocar la carne en una asadera untada con aceite y rociar la carne con la marinada. Dejar reposar en la refrigeradora cubierta con papel film por 30 minutos.
Precalentar el horno a temperatura moderada y cocinar alrededor de ½ hora cubierto con papel aluminio o papel manteca. Rociar con parte de la marinada durante la cocción. Retirar la carne, recuperar el fondo de cocción y verter en una ollita con el chuño disuelto en 5 cdas. de agua

fría. Cocinar hasta espesar. Retirar y reservar para servir el cerdo. Acompañar con las rodajas de piña. Para la piña en almíbar cocinar la fruta en rodajas (sin el centro duro) durante 7 minutos. En ese momento agregar azúcar al gusto y cocinar 7 minutos más.

# Chita al ajo [ nueva receta ]

## Ingredientes
(Para 1-2 porciones)

2 chitas enteras.
8 dientes de ajo picado

½ cdta. de pimienta molida
Sal al gusto

2 cdas. de sillao
Aceite para freír

## Preparación

Con la ayuda de un cuchillo filudo, hacer 3 cortes en el lomo del pescado en forma diagonal. Mezclar los ajos con la pimienta y rociar con el sillao. Cubrir las chitas con esta preparación. Dejar reposar por 5 minutos y freír en abundante aceite por 8 a 10 minutos, volteando con mucho cuidado y echándole aceite con una cuchara. Esperar a que esté crocante y dorado. Retirar sobre papel absorbente y servir bien caliente.
Se puede emplear otro pescado siguiendo las mismas instrucciones.

# Coliflor al gratén

## Ingredientes
(Para 4-6 porciones)

1 coliflor
2 recetas de salsa blanca espesa
(ver receta p. 18)

3 huevos
1 cda. de perejil picado
½ taza de queso parmesano

## Preparación

Sancochar la coliflor en agua con sal y 1 trozo de pan (para evitar el olor fuerte de la coliflor al hervir). Retirar y separar en ramitos. Entibiar la salsa blanca y agregar los huevos. Untar con margarina una fuente para horno que pueda ir a la mesa. Acomodar los ramitos de coliflor. Espolvorear con el perejil y cubrir con la salsa y el queso parmesano rallado. Gratinar por 10 minutos en horno caliente (200°C-400°F) y servir.

# Croquetas de atún y variaciones

## Ingredientes
(Para 4-6 porciones)

1 receta de salsa blanca (ver receta p. 18)
1 lata de atún
2 cdas. de perejil picado

2 cdas. de jugo de limón
1 huevo
Pan rallado
Aceite para freír

## Preparación

Mezclar la salsa blanca con los demás ingredientes. Refrigerar. Humedecerse las manos y formar las croquetas (bolas). Pasar por huevo batido y pan rallado, y volver a refrigerar. Freír en abundante aceite por 7 a 8 minutos. Puede variarse el sabor de las croquetas cambiando el atún por jamón o pollo.

# Cuy chactado [ nueva receta ]

## Ingredientes
(Para 1 porcion)

1 cuy
½ taza de chicha de jora
¼ de taza de ají panca molido
Jugo de 1 limón

1 cdta. de orégano
1 cdta. de hierbabuena picada
Sal al gusto
Aceite para freír

## Preparación

Colocar en un tazón la chicha, el ají, el jugo de limón, el orégano, la hierbabuena y la sal. Dejar macerar por 2 a 3 horas.
Poner aceite para freír en una olla profunda. Escurrir el cuy, colocándolo dentro con la piel sobre el aceite. Ubicar encima una piedra bien seca y freír hasta que la piel esté dorada y crocante. Dar vuelta al cuy y cocinar por el otro lado de la misma forma.
Retirar y servir con papas fritas en el mismo aceite en el que se cocinó el cuy.
Si desea, reemplace el cuy por conejo.

# Estofado de pollo

## Ingredientes
(Para 4-6 porciones)

6 presas de pollo
½ taza de harina
½ taza de aceite
1 cdta. de ajos picados
¼ de taza de cebolla picada

2 tomates pelados y picados
1 cda. de pasta de tomate
½ taza de arvejas
½ taza de zanahorias en
rodajas

2 cdas. de pasas
1 raja de canela
½ taza de oporto o vino dulce
Sal y pimienta al gusto

### Preparación

Lavar, secar y salpimentar las presas de pollo. Enharinarlas y freírlas en el aceite caliente. Retirarlas. Dorar los ajos y la cebolla, añadir los tomates y la pasta de tomate. Incorporar las presas, las arvejas, las zanahorias, las pasas, la canela y el vino. Condimentar con sal y pimienta. Tapar y cocinar a fuego lento. Servir acompañado de arroz blanco y papas amarillas sancochadas. Este estofado se puede preparar también con res, cordero, cabrito o alpaca.

# Frejoles a la Casilda

## Ingredientes
(Para 4-6 porciones)

½ kg de frejol canario
100 g de tocino
1 taza de aceite
3 cebollas picadas

3 tomates pelados y picados
4 cdtas. de perejil picado
½ taza de leche evaporada
Sal y pimienta al gusto

1 pimiento soasado y pelado
1 taza de queso parmesano
rallado
2 huevos duros

## Preparación

Remojar los frejoles desde el día anterior. Cocinarlos con el tocino (reservar unas tiritas para decorar), dividir en 2 partes y licuar 1. Calentar la mitad del aceite y freír la cebolla. Agregar los tomates, el perejil y la leche, revolver con una cuchara de madera. Incorporar los frejoles licuados. Sazonar con sal y pimienta. Mezclar con el pimiento en tiritas (dejar algunos para decorar). En otra cacerola, calentar el resto del aceite con los frejoles enteros. Agregar el queso rallado y sazonar con sal y pimienta. Acomodar los frejoles licuados en un molde refractario. Sobre ellos, poner la mezcla de los frejoles enteros. Decorar con el tocino reservado y llevar al horno a temperatura moderada (175°C-350°F) por 15 minutos. Al servir, decorar con huevo duro, pimientos y perejil picado.

# Guiso de lentejas

## Ingredientes
(Para 4-6 porciones)

½ kg de lentejas
1/3 de taza de aceite
1 cebolla grande picada
2 dientes de ajo picados
1 pimiento picado

1 hoja de laurel
200 g de tocino en tiritas
1 taza de tomates pelados y
picados
Sal y pimienta al gusto

1 cdta. de orégano
1 cda. de pimentón
1 cda. de pasta de tomate
Caldo

## Preparación

Hervir las lentejas en agua fría que las cubra hasta que estén cocidas. Calentar el aceite en una cacerola y rehogar la cebolla, el ajo y el pimiento. Agregar el laurel y el tocino. Dejar cocinar hasta que este último esté transparente. Incorporar el tomate, cocinar unos minutos. Condimentar con sal, pimienta, orégano y pimentón. Agregar la pasta de tomate sin dejar de revolver. Poner las lentejas y hervir 10 minutos. Si se secara el guiso, añadir caldo caliente. Debe quedar bien jugoso. Servir en cazuelas de barro individuales o en plato hondo.

# Guiso de pavita [ nueva receta ]

## Ingredientes
(Para 4-6 porciones)

1 kg de pavita trozada
3 cdas. de hongos secos
3 tomates pelados y sin semillas
50 g de mantequilla

3 cdas. de aceite de oliva
Sal y pimienta al gusto
1 cdta. de romero seco

¾ de taza de vino blanco seco
200 g de champiñones fileteados
1 cda. de pasta de tomate

## Preparación

Lavar y remojar los hongos secos en agua tibia.
Calentar la mantequilla y el aceite en una sartén profunda. Saltear los trozos de pavita hasta dorar ligeramente. Sazonar al gusto con sal, pimienta y romero. Verter el vino y dejar que se evapore el alcohol. Agregar los hongos secos y frescos, el líquido del remojo, los tomates y la pasta de tomate.
Cocinar a fuego bajo, con la sartén destapada, revolviendo de tanto en tanto, durante 20 minutos o hasta que la pavita esté a punto y la salsa espese.

# Hamburguesas

## Ingredientes
(Para 4-6 porciones)

### De carne
¾ de kg de carne de res molida
1 cebolla blanca rallada
Sal y pimienta al gusto

### De pollo o pavita
¾ de kg de pollo o pavita molidos
1 manzana rallada
Tomillo fresco u otras hierbas al gusto

## Preparación

Colocar la carne molida de res en un bol e incorporar la cebolla rallada bien fina. Salpimentar al gusto. Unir todo amasando la preparación con las manos. Tomar porciones y formar las hamburguesas con las manos. Apilarlas intercalando láminas de film y conservar.
Para las hamburguesas de pollo o pavita, del mismo modo, mezclar todos los ingredientes, salpimentar al gusto y formar las hamburguesas.
Para la cocción, colocar al fuego una plancha o sartén de fondo grueso, con 1 cda. de aceite. Cuando esté bien caliente, apoyar las hamburguesas Dorar de un lado, darle vuelta y completar la cocción.
Si desea enriquecer las hamburguesas, puede mezclar carne de res y de cerdo en partes iguales.

# Hígado escabechado

## Ingredientes
(Para 4-6 porciones)

4-6 bistecs de hígado
Sal y pimienta
2 cdas. de harina

5 cdas. de aceite
50 g de mantequilla
4 dientes de ajo

1 cda. de perejil picado
1 taza de vinagre
3 cdas. de vino blanco o caldo

## Preparación

Salpimentar los bistecs, pasarlos por harina y freídos. En el mismo aceite, añadir los ajos y el perejil, picados muy finamente. Incorporar el vino o caldo y el vinagre. Cocinar a fuego lento hasta que espese. Servir los bistecs cubiertos con la salsa. El hígado debe freírse por poco tiempo, para que no se endurezca.

# Locro de zapallo

## Ingredientes
(Para 4-6 porciones)

1/3 de taza de aceite
1 cebolla picada
2 dientes de ajo picados
Ají molido al gusto
Sal y pimienta

1 cdta. de orégano
1 cda. de harina
1½ kg de zapallo
3 papas blancas cortadas en 4

¼ de kg de arvejas
2 choclos en rebanadas
½ taza de queso fresco
½ taza de leche evaporada

## Preparación

Calentar el aceite y freír la cebolla, los ajos, el ají y el orégano. Salpimentar. Añadir la harina y cocinar unos minutos. Agregar el zapallo picado, las papas, las arvejas y los choclos. Tapar la olla y cocinar a fuego muy lento, sin nada de líquido, hasta que el zapallo se deshaga y la papa y los choclos estén cocidos. Añadir la leche y el queso desmenuzado. Servir con arroz blanco

# Lomo Saltado

## Ingredientes
(Para 6 porciones)

½ kg de carne de res
Sal, pimienta y comino al gusto
1 cdta. de pimentón
½ cdta. de orégano

2 cebollas cortadas a la pluma
1 diente de ajo picado
1 ají verde cortado en tiras finas
2 cdas. de vinagre

2 tomates cortados en cuñas
1 cda. de perejil
½ kg de papas cortadas en bastones
Aceite en cantidad necesaria

## Preparación

Calentar 4 cdas. de aceite y saltear en él la carne cortada en trozos de 2½ cm x 1 cm. Sazonar con sal, pimienta y comino. Incorporar el pimentón y el orégano. Retirar la carne. Agregar las cebollas, el ajo, el ají y el vinagre. Cocinar por unos minutos. Añadir los tomates y mezclar bien. Volver a poner la carne y espolvorear con el perejil. Freír las papas en abundante aceite caliente. Servir con las papas fritas y acompañado de arroz blanco o con arroz con choclo. Se puede servir también con un *risotto* cremoso, como el de hongos y cebollas caramelizadas (ver receta). En ese caso, retirar las papas fritas.

# Lomo Strogonoff [nueva receta]

## Ingredientes
(Para 4-6 porciones)

1 kg de lomo de res
Sal y pimienta al gusto
3 cdas. de harina
3 cdas. de mantequilla
1 cda. de aceite
2 cdas. de vodka o vino blanco

1 cebolla finamente picada
1/4 de cdta. de mostaza
1 cdta. de salsa inglesa
4 cdas. de pasta de tomate
½ kg de champiñones chicos
1 cda. de jugo de limón

1 cdta. de páprika
1 cdta. de harina disuelta en
2 cdas. de agua fría
½ taza de crema de leche o
leche evaporada pura

## Preparación

Cortar la carne en cuadrados de 2 cm x 2 cm. Salpimentarlos y enharinarlos Calentar la mantequilla con el aceite y dorar la carne por ambos lados. Agregar el vodka, la cebolla, la mostaza, la salsa inglesa y la pasta de tomate. Cocinar por unos minutos hasta que la carne esté muy tierna. Incorporar los champiñones, el jugo de limón y la páprika. Mezclar bien. Espesar con la harina disuelta. Al final, agregar la crema de leche. Es mejor saltear los champiñones en mantequilla antes de unirlos con el lomo. Este plato puede prepararse con anticipación. Para servir, calentar y agregar la crema

# Milanesas

## Ingredientes
(Para 6 porciones)

6 bistecs delgados
Sal y pimienta al gusto
2 huevos batidos con sal al gusto

Harina sin preparar
Pan rallado en cantidad necesaria
Aceite para freír

## Preparación

Condimentar la carne con sal y pimienta. Pasar cada bistec por la harina, luego por huevo batido y enseguida por pan rallado, presionando con la palma de las manos para que se adhiera bien. Freír en aceite no muy caliente para que no se arrebaten. Servir con puré de papas, arroz o ensalada de tomates. Acompañar con mayonesa. Para que las milanesas queden jugosas, hay que limpiar los bistecs de nervios y aplastarlos ligeramente con un mazo. Agregar orégano o ajo y perejil al huevo batido, para darle otro sabor. Si desea milanesas de pollo o pescado, prepare de la misma forma. Para las milanesas a la napolitana, una vez fritas, cubrirlas con salsa de tomate, queso mozzarella rallado y gotas de aceite con orégano. Llevarlas al horno unos minutos o hasta que se funda el queso.

# Mondongo a la italiana

## Ingredientes
(Para 4-6 porciones)

½ kg de mondongo
1 taza de aceite
1 cebolla
½ pimiento
1 ajo

1 zanahoria en cuadraditos
2 hongos secos remojados
2 papas blancas en cuadraditos
1 cda. de ají molido
2 cdas. de perejil

3 cdas. de pasta de tomate
1 taza de caldo
Sal y pimienta al gusto
2 hojas de laurel
Queso parmesano rallado

## Preparación

Lavar el mondongo y cocinado (durante 20 minutos o hasta que esté tierno) en agua caliente con sal y unas ramas de perejil. Retirar y cortar en tiras bien delgadas de unos 3 cm de largo. Colocar el aceite en una olla junto con la cebolla, el pimiento, el ajo picado, las zanahorias, la sal, la pimienta, el laurel, el ají molido, el apio y el perejil picado. Llevar al fuego y, sin dejar de mover, esperar que comience a dorar para agregar el mondongo. Una vez que hierva, echar la pasta de tomate diluida en el caldo. Por último, añadir los hongos picados y las papas. Mezclar todo y tapar. Cocinar a fuego lento hasta que esté a punto. Al servir debe estar jugoso. Para espesar, rociar con 1 cda. de harina tostada. Espolvorear con el queso parmesano. Para enriquecerlo, incorporar, junto con las zanahorias, ½ taza de arvejas, ½ taza de frejoles frescos y ½ taza de garbanzos remojados y cocidos. Agregar las papas cuando las verduras estén casi listas.

# Olluquitos con carne o charqui

## Ingredientes
(Para 4-6 porciones)

3 cdas. de aceite
¼ de kg de carne de res o charqui
½ taza de cebolla
2 dientes de ajo picados

2 cdas. de ají panca molido
1 cdta. de pimentón
1 kg de ollucos picados en tiras
1 ají amarillo picado

Perejil picado
Hierbabuena
Sal y pimienta al gusto

## Preparación

Calentar el aceite y freír la carne cortada en tiritas. Una vez dorada, retirada y freír en el mismo aceite la cebolla, los ajos, los ajíes y el pimentón. Agregar los ollucos remojados durante 1 hora en agua con sal y escurridos. Tapar la olla y cocinar a fuego lento durante 20 minutos, revolviendo a ratos. Espolvorear con el perejil y la hierbabuena. Servir con arroz blanco. Si se usa charqui, remojado hasta ablandar y luego deshilachar. Seguir los mismos pasos que para los olluquitos con carne.

# Pachamanca a la olla [nueva receta]

## Ingredientes
(Para 4-6 porciones)

½ taza de hojas de huacatay
½ taza de hojas de culantro
½ taza de hojas de chincho
5 dientes de ajo
¼ de taza de aceite

3 ajíes licuados con aceite y sal
4 presas de pollo
4 trozos de cordero
4 trozos de chancho
1 taza de vinagre

4-6 papas yungay
1 kg de habas con cascara
1 taza de chicha de jora
3 camotes
3 choclos

## Preparación

Colocar las carnes en un tazón y macerarlas con el ají licuado y el vinagre durante ½ hora. Licuar el huacatay, el culantro, el chincho y los ajos en el aceite. Freír el preparado anterior en una olla grande y acomodar encima las carnes maceradas. Tapar la olla y dar un hervor.

Incorporar las papas enteras, las habas (se les retira la punta y las hebras gruesas del costado) y la chicha de jora. Cocinar a fuego lento para que la preparación quede bien jugosa. Verificar la sazón con sal y pimienta. Cocinar en ollas individuales los camotes enteros y los choclos. Si la olla es lo suficientemente grande, se podrán cocinar los camotes y los choclos junto con el resto de la pachamanca.

# Paella

## Ingredientes
(Para 6 porciones)

4 cdas. de aceite
6 presas de pollo
½ cebolla picada
2 dientes de ajo picados
1 tomate

1 docena de choros (hervir
y reservar el agua: 4 ½ tazas)
Azafrán
4 corazones de alcachofa
½ taza de arvejas sancochadas

½ taza de vainitas sancochadas
3 tazas de arroz
½ Kg de camarones
½ taza de mariscos
2 pimientos morrones

## Preparación

Colocar la paila sobre el fuego. En el aceite caliente freír las presas de pollo hasta que se doren. Arrimarlas alrededor de la paila. Al centro freír la cebolla, los ajos y el tomate pelado y picado. Cocinar un momento e incorporar el agua de los choros. Hervir hasta que las presas estén tiernas. Agregar el azafrán, las alcachofas partidas en 4, las arvejas y las vainitas picadas. Incorporar el arroz. A mitad de la cocción, bajar el fuego y añadir los mariscos. Dejar cocer. Unos minutos antes de que esté listo, adornar con los camarones y los pimientos morrones. Tapar con un secador humedecido en agua y bien escurrido. Dejar reposar unos minutos antes de servir.

# Pan de carne

## Ingredientes
(Para 4-6 porciones)

½ Kg de carne molida de res, cerdo o pollo
1 cebolla picada y salteada
1 pimiento picado
½ taza de pan rallado
1 cda. de perejil picado

1 diente de ajo picado
¾ de taza de leche
3 huevos
½ taza de aceite
Sal, pimienta y nuez moscada al gusto

## Preparación

Mezclar todos los ingredientes y colocarlos en un molde alargado, engrasado y enharinado. Cocinar a baño María en el horno durante 1 hora y 20 minutos. Dejar reposar antes de desmoldar. Servir en tajadas, acompañado de puré, papas o yucas sancochadas, o ensalada al gusto.

# Papas rellenas

## Ingredientes
(Para 4-6 porciones)

1 kg de papa blanca
1 huevo
3 cdas. de aceite
1 diente de ajo picado
1 cebolla picada

1 cdta. de pimentón
¼ de kg de carne de res molida
Sal y pimienta al gusto
12 aceitunas de botija

¼ de taza de pasas
2 huevos duros
Harina en cantidad necesaria

## Preparación

Sancochar las papas en agua con sal. Pelarlas y, aún calientes, pasarlas por el prensapapas. Amasar con 1 huevo, sal y pimienta. Calentar el aceite. Freír la cebolla, el ajo y añadir el pimentón. Incorporar la carne y cocinarla. Sazonar con sal y pimienta. Unir las aceitunas y las pasas. Dividir la papa en 12 porciones. Tomar 1 de ellas con las manos enharinadas, aplanarla y colocarle al centro 1 porción del relleno, 1 trocito de huevo duro y cerrar con la misma masa, dándole forma ovalada. Pasar por harina y freír en abundante aceite caliente. Dorar de un lado, sin moverla. Luego voltearla con cuidado para dorar del otro lado. Servir acompañadas de arroz blanco y salsa criolla.
Puede añadir a la mezcla de papas 1 camote sancochado y prensado. Esto ayuda a que la papa no se abra

# Papas con maní

## Ingredientes
(Para 4-6 porciones)

½ taza de aceite
1 cebolla
2 dientes de ajo picados
Ají verde al gusto
Sal y pimienta al gusto

½ kg de maní tostado y molido
1 taza de leche
Papas amarillas
Huevos duros

## Preparación

Freír la cebolla y los ajos en el aceite caliente. Agregar ají al gusto y salpimentar. Incorporar el maní y la leche. Cocinar. Si quedara muy espeso, agregar agua hirviendo. Servir con papas sancochadas y huevo duro. Si no desea usar papas, incorporar carne sancochada deshilachada.

# Parrilla y sus secretos [nueva receta]

- Para encender el fuego, hacer 1 pelota de papel con hojas de periódico. Luego cubrir con ramas secas y acomodar encima un poco de carbón. En la bolsa de carbón que se vende en los supermercados se incluye un sebo sobre el que se coloca un poco de carbón. Una vez encendido y cuando aparece la llama (nunca usar solventes), se agregan pequeñas cantidades de carbón. Si la parrilla es muy cerrada, debe ayudar con aire natural. Cuando el carbón se convierte en brasa, se distribuye para calentar la parrilla, ubicada a unos 25-30 cm (lo ideal es que la carne esté a una distancia prudente para que no se arrebate).
- El fuego no hace la parrilla. Las brasas hacen las parrillas. Si las brasas se extinguieran, no se debe agregar carbón virgen, porque desprende humo tóxico. Tener en forma paralela brasas que se irán agregando las veces que sean necesarias.
- Tanto la carne como los chorizos se dan vuelta 1 sola vez. Esto se hace cuando brota sangre en la superficie de la carne. La carne está cocida cuando se le ha dado vuelta y nuevamente aparece sangre. El chorizo está cocido cuando se dora.
- No pinchar jamás la carne. Usar tenazas para dar vuelta. No olvide que no se aprieta jamás la carne contra la parrilla.
- Existe una antigua discusión sobre si conviene salar al principio o al final. Los partidarios de la primera opción dicen que el costrón que se forma con el jugo y la sal es irremplazable. Los otros sostienen que la sal absorbe el jugo y seca la carne.
- Se pueden asar a la parrilla: champiñones, zapallos italianos, berenjenas en rodajas, tomates, caiguas, pimientos, espárragos o choclos. Si coloca tubérculos como papas, camotes o yucas, deben estar envueltos en papel aluminio, sancochados previamente, marinados con aceite y hierbas al gusto, y colocados lo más cerca del calor.

# Pastel de papas

## Ingredientes
(Para 6-8 porciones)

1¼ kg de papas amarillas
cocidas
2 yemas
¼ de taza de margarina
Sal y pimienta al gusto

## Relleno

2 cdas. de aceite
½ taza de cebolla picada
1 tomate picado
¼ de kg de carne molida
(res, cerdo o pollo)
1 cdta. de pimentón

1 cda. de perejil picado
¼ de taza de pasas
1 huevo duro
8 aceitunas
Sal y pimienta al gusto

## Preparación

Preparar el puré con las papas, las yemas, la margarina, la sal y la pimienta. Freír la cebolla en el aceite. Agregar el tomate, la carne, el pimentón y el perejil. Condimentar con sal y pimienta. Cuando esté cocido, añadir las pasas. Enmantequillar un molde refractario de 25 cm de largo. Agregar la mitad del puré. Cubrir con el relleno. Además, colocar el huevo duro en rodajas, las aceitunas y terminar con el resto del puré. Hornear a temperatura moderada por 25 minutos.

# Pavo navideño a las finas hierbas

## Ingredientes
(Para 12 porciones)

1 pavo mediano
3 cebollas en cuñas
2 pimientos en tiras
4 ramas de apio picadas
1 rama de romero

3 hojas de laurel
1 poro en rodajas
3 dientes de ajo en láminas
4 cdas. de perejil picado
2 cdas. de tomillo fresco

picado
150 g de mantequilla
1 cda. de pimentón
2 cubitos de caldo de gallina
1 ½ tazas de agua caliente

## Preparación

Calentar el horno a temperatura moderada (175°C-350°F). Lavar y secar el pavo. Condimentar con sal y pimienta por dentro y por fuera.
Distribuir todas las verduras y hierbas en una fuente. Apoyar el pavo sobre ellas, con la pechuga hacia arriba. Atar las patas con pabilo y untarlo íntegramente con la mantequilla derretida mezclada con el pimentón. Disolver los cubitos de caldo en el agua caliente y volcar en la fuente. Cubrir totalmente con papel aluminio. Llevar al horno y calcular el tiempo de cocción (30 minutos por kg de ave). Retirar el papel unos 35 a 40 minutos antes de finalizar la cocción. Las verduras se licúan para acompañar el pavo en presas. El jugo obtenido se puede espesar con chuño o maicena.

El pavo nunca se descongela a temperatura ambiente. Introduzca el pavo en un balde grande, con las patas hacia arriba. Cubra totalmente con agua fría y ½ taza de sal de cocina. Déjelo así unas horas o la noche entera. Una vez descongelado, retire la envoltura de plástico y el paquete de menudencias de su interior. Si no lo va a hornear enseguida, resérvelo en la refrigeradora.

# Pechugas de pollo rellenas [ nueva receta ] con jamón y queso

## Ingredientes
(Para 6 porciones)

| | | |
|---|---|---|
| 6 filetes de pechuga | Pimientos morrones de lata | 3 cdas. de mantequilla |
| 6 tajadas de queso mantecoso | o casa | 1/3 de taza de vino blanco |
| 6 tajadas de jamón inglés | 2 cdas. de harina | 2 tazas de caldo de pollo |
| | 1 cdta. de pimentón | Sal y pimienta al gusto |

### Preparación

Aplanar los filetes para adelgazarlos y agrandarlos. Sobre cada uno de ellos colocar 1 tajada de queso, 1 de jamón y, en los bordes, tiras de pimiento. Doblar cada filete y asegurarlo con mondadientes. En 1 bolsita, mezclar harina, sal, pimienta y pimentón. Enharinar cada filete dentro de la bolsa.
Calentar la mantequilla y freír en ella los filetes por ambos lados, hasta dorar. Incorporar el vino, el caldo y cocinar a fuego suave, con la olla tapada, hasta que estén a punto. Retirar los palitos. Servir los filetes de pechuga bañados en su salsa y acompañarlos con puré de papas al gusto.

# Pejerreyes arrebozados [ nueva receta ]

## Ingredientes
(Para 4-6 porciones)

| | |
|---|---|
| 12 pejerreyes limpios sin espinas | 1 cda. de agua |
| 1 huevo | Perejil picado |
| 2 cdas. de harina | Salsa criolla |
| 1 cda. de queso parmesano | |

## Preparación

Limpiar los pejerreyes y retirarles con cuidado la cabeza, la cola y las espinas. Licuar el huevo, la harina y el agua. Añadir el queso parmesano y el perejil. Debe quedar una preparación cremosa pero no espesa. Si quedara muy líquida, añadir harina hasta que quede con la consistencia deseada. Pasar cada pejerrey por esta preparación, cuidando que quede todo bien cubierto. Freír en aceite caliente hasta que dore y quede crocante. Servir de inmediato.
Se pueden servir acompañados de arroz o con pequeñas causas clásicas armadas en moldes redondos. Los pejerreyes se deben colocar sobre estas causas. Acompañar con salsa criolla.

# Pepián de choclo

## Ingredientes
(Para 4-6 porciones)

| | | |
|---|---|---|
| 1/3 de taza de aceite | ½ kg de carne de cerdo | Sal y pimienta al justo |
| 2 dientes de ajo picados | ½ taza de agua hirviendo | Agua hirviendo en cantidad |
| 1 taza de cebollas picadas | 8 choclo: rallados o licuados | necesaria |
| Ají molido al gusto | | |

## Preparación

Calentar el aceite y freír el ajo picado, la cebolla y el ají. Incorporar la carne cortada en trozos pequeños. Dorar y añadir el agua hirviendo. Cocinar por 15 minutos o hasta que esté a punto. Agregar el choclo y agua hirviendo en cantidad necesaria, cocinar moviendo constantemente con una cuchara de madera, hasta que la preparación esté ligera y brillante. Servir acompañado de arroz blanco

# Pescado a la chorrillana

## Ingredientes
(Para 4-6 porciones)

| | | |
|---|---|---|
| 6 filetes de pescado | 2 cebollas cortadas en cuñas | 1 ají verde cortado en tiras |
| Sal y pimienta al gusto | 2 dientes de ajo | ½ cda. de orégano |
| Harina en cantidad necesaria | 3 tomates | Jugo de limón |
| ½ taza de aceite | 1 cda. de ají molido | |

## Preparación

Sazonar el pescado con sal y pimienta, enharinar y freír en aceite caliente. Reservar. Calentar la ½ taza de aceite y freír la cebolla y los ajos, hasta que la cebolla esté transparente. Incorporar el tomate pelado y cortado en cuñas, el ají molido, el ají en tiras y el orégano. Acomodar encima los filetes de pescado. Cocinar por 5 minutos a fuego lento. Rociar con el jugo de limón y servir acompañado de papas sancochadas y arroz.

# Pescado sudado

### Ingredientes
(Para 4-6 porciones)

¼ de taza de aceite
1 cebolla cortada en cuñas
2 dientes de ajo picados
1 cdta. de kion rallado
Ají verde molido al gusto
(opcional)

1 cda, de perejil picado
1 cda. de culantro picado
¼ de taza de vino blanco seco
Jugo de limón

2 tomates pelados y cortados en rajas
6 filetes de pescado
Sal y pimienta

### Preparación

Calentar el aceite y freír la cebolla, los ajos, el kion y el ají verde molido. Espolvorear el perejil y el culantro. Añadir el vino y el limón. Dejar cocinar por unos minutos 1 evaporar el alcohol. Salpimentar. Agregar los tomates y colocar encima los filetes de pescado. Tapar la olla y poner al fuego suave de 6 a 8 minutos. Servir con papas sancochadas y arroz blanco.

# Pescado en salsa de arvejas y espárragos [nueva receta]

### Ingredientes
(Para 4-6 porciones)

6 filetes de pescado
¾ de taza de aceite de oliva
3 cdas. de ajo picado
¾ de taza de perejil picado

½ taza de harina
1 taza de caldo de pollo
1 cdta. de sazonador

Sal y pimienta al gusto
1 taza de espárragos cocidos
1 taza de arvejas cocidas

### Preparación

Sazonar los filetes de pescado y enharinarlos. En una sartén grande, colocar el aceite y los ajos. Coci-narlos sin dejar que se doren. En la misma sartén, acomodar los filetes de pescado, uno junto al otro, y cubrir con el perejil. Dejar cocinar por unos minutos y dar la vuelta al pescado.
Incorporar el caldo. Mover la sartén suavemente, para evitar que el pescado se rompa. Agregar los es-párragos y arvejas. Cocinar por unos minutos más. Servir con puré, papas sancochadas o arroz blanco.

# Picante a la tacneña [ nueva receta ]

## Ingredientes
(Para 15 porciones)

1 kg de mondongo
1 pata de cerdo
1 rama de apio
½ cebolla entera
¾ de taza de ají mirasol
molido

¾ de taza de ají panca
molido
1½ kg de papas
200 g de charqui
¼ de taza de aceite

2 cebollas picadas
8 dientes de ajo picados
Sal, pimienta, comino y
orégano
½ taza de aceite

## Preparación

Sancochar el mondongo y la pata con un pedazo de cebolla y 1 rama de apio. Guardar el caldo de ambos. Hervir las papas con sal y colocar el charqui encima, para que se cocine al vapor. Una vez listas las papas, pelarlas y apretarlas con las manos (deben quedar en pedazos ni grandes ni chicos). Deshilachar el charqui. Poner una olla grande con el aceite al fuego. Freír las cebollas y los ajos, hasta que estén transparentes. Agregar los ajíes para que se frían bien (esta es la base para un buen picante). Incorporar el charqui y seguir friendo. Aumentar el mondongo, la pata (cortados en pedazos no muy grandes) y el caldo reservado. Sazonar con sal, pimienta, comino y orégano. Dar un hervor, poner las papas y espolvorear con más orégano. Servir con arroz y huevos duros

# Pollo a la cazadora

## Ingredientes
(Para 6-8 porciones)

1 cebolla picada
2 cdas. de aceite
100 g de tocino picado

1 vaso de vino tinto
¼ de kg de tomates pelados
y cortados en cuadraditos

1 pollo cortado en 8 presas
Caldo en cantidad necesaria
Sal y pimienta al gusto

## Preparación

Freír la cebolla en el aceite. Agregar el tocino y el pollo. Cocinar unos 10 minutos a fuego suave. Rociar con el vino. Subir el fuego para evaporar el licor. Añadir los tomates. Salpimentar a gusto. Continuar la cocción unos 30 minutos más. Si es necesario, añadir un poco de caldo, para que el pollo no se seque. Servir acompañado de arroz blanco o papas doradas.

# Pollo a la hawaiana [ nueva receta ]

## Ingredientes
(Para 4-6 porciones)

6 filetes de pechuga de pollo
4 cdas. de mantequilla derretida
Sal y pimienta al gusto
1/8 de cdta. de jengibre
1/8 de cdta. de nuez moscada

¼ de taza de jerez o vino blanco seco
1 cdta. de chuño
¼ de taza de jugo de naranja
Cerezas marrasquino (opcional)
1 cebolla cortada en cuñas

¼ de taza de apio picado
6 duraznos en almíbar escurridos
3 papas cortadas en rodajas delgadas
1 diente de ajo
1 taza de piña en almíbar en cubitos

## Preparación

Colocar las pechugas en una fuente para hornear, bien enmantequillada. Con una brocha, untar las pechugas con la mantequilla derretida. Espolvorear con la mitad de la sal, la pimienta, la nuez moscada y el jengibre. Rodear las pechugas con las papas, las cebollas y el apio. Cubrir con papel aluminio y hornear por 45 minutos a temperatura moderada (175°C-350°F). Retirar del horno y quitar el papel aluminio. Mezclar el jerez o el vino, el chuño, el jugo de naranja y volcar la mitad de esta preparación sobre el pollo. Colocar la piña, los duraznos, las cerezas y otro poco de líquido. Espolvorear con sal, pimienta y el resto de especias. Colocar nuevamente en el horno, pero sin cubrirlo, durante 15 minutos, a 190°C - 375°F. Bañar de vez en cuando con el resto de líquido. Servir alrededor de un molde de arroz blanco.

# Pollo agridulce

## Ingredientes
(Para 6 porciones)

3 filetes de pechuga de pollo
2 dientes de ajo
¼ de taza de aceite
4 huevos
6 cdas. de harina sin preparar

3 pimientos cortados en tiras anchas
1 lata de piñas al jugo
1 taza de caldo de pollo
4 cdtas. de chuño

¾ de taza de azúcar
3 cdtas. de sillao
1 taza de vinagre
Sal y pimienta al gusto

## Preparación

Cortar los filetes de pechuga de pollo en trozos. Freír los ajos en el aceite caliente y retirarlos. Batir los huevos. Añadirles la harina sin preparar, sal y pimienta. Pasar los trozos de pollo por esta mezcla. Luego, freírlos en el aceite. Dejar 1 cda. de grasa en la olla. Incorporar la piña en trozos, el pimiento y ½ taza de caldo. Tapar la olla y cocinar 10 minutos. Mezclar aparte el chuño con el azúcar, el sillao, el vinagre y el resto del caldo. Añadir al pollo y cocinar sin dejar de mover. Acompañar con arroz blanco.

# Pollo al ajillo

## Ingredientes
(Para 6 porciones)

6 presas de pollo cortadas en trozos pequeños
Jugo de 1 limón
4 dientes de ajo
1 cdta. de sal

5 cdas. de aceite
¼ taza de harina sin preparar
1 taza de aceite
Papas sancochadas
1 cda. de perejil picado

## Preparación

Poner en la licuadora el jugo de limón, los ajos, la sal y el aceite. Licuar hasta formar una pasta y volcarla en un tazón. Colocar allí las presas. Dejar en maceración durante por lo menos 2 horas. En una bolsa, agregar la harina sin preparar e ir pasando las presas de pollo hasta que queden bien enharinadas. Freírlas en aceite caliente. Mantener el calor moderado para que se cocinen por dentro. Deben quedar doradas por fuera y jugosas por dentro. Acompañar con las papas sancochadas y espolvoreadas con perejil picado.

# Pollo al horno con papas y camotes

## Ingredientes
(Para 4-6 porciones)

1 pollo en presas
Sal, pimienta y aceite en cantidad necesaria
6 papas blancas
4 camotes

2 tomates en cuñas
2 cebollas cortadas en trozos grandes
2 pimientos cortados en tiras de 2 cm
Orégano y alguna otra hierba al gusto

## Preparación

Acomodar las presas de pollo lavadas y secas en una fuente para horno, amplia y bien aceitada. Cocinar las papas peladas y cortadas en 2 y los camotes en agua con sal. Retirar a media cocción. Aceitar las presas, las papas y los camotes. Espolvorear sal y pimienta.
Apoyar sobre el pollo las cuñas de tomate, la cebolla y el pimiento. Salpicar con orégano y alguna otra hierba, si lo desea. Rociar con un poco más de aceite y llevar al homo moderado por 1 hora. A mitad de la cocción, dar vuelta a las presas. También desprender las papas y los camotes y darles vuelta, para que se doren completamente.

# Pollo en salsa de mostaza

## Ingredientes
(Para 4-6 porciones)

1 pechuga de pollo con hueso
Jugo de 1 limón
Sal al gusto
1 cda. de vinagre

2 cdas. de sillao
2 cdas. de pimienta molida negra
¼ de taza de mostaza
1 rama de romero o tomillo

2 cdas. de aceite
Jugo de cocción del pollo
2 cdas. de mostaza
¼ de taza de leche evaporada
pura

## Preparación

Lavar y secar la pechuga. Rociarla con el jugo del limón, el vinagre y el sillao. Añadir la sal, la pimienta y frotar la presa con la mostaza. Pintar el molde que va a usar con el aceite. Colocar la rama de romero o tomillo, el pollo y hornear por 20 minutos a 200°C - 400°F. Bajar la temperatura a 150°C - 300°F y cocinar por 40 minutos más. Retirar y dejar enfriar para cortar.
Salsa: Colar el jugo de cocción. Agregar la mostaza y la leche y mezclar en una olla pequeña. Si fuera necesario, espesar con 1 cdta. de chuño o maicena.
Retirar el hueso de las pechugas y filetear en forma diagonal con un cuchillo sin dientes.

# Pollo y brócoli con bechamel a la crema [ nueva receta ]

## Ingredientes
(Para 4-6 porciones)

2 pechugas de pollo
½ kg de brócoli
4 cdas. de mantequilla
4 cdas. de harina
2 tazas de caldo de pollo

½ taza de crema de leche
3 cdas. de jerez o vino blanco seco
1 taza de queso parmesano rallado
Sal y pimienta al gusto

## Preparación

Sancochar el pollo. Una vez cocido y frío, deshuesar y cortar en trozos. Cocinar el brócol. Colar y ponerlo en una fuente que pueda ir al horno. Derretir la mantequilla, añadir la harina e incorporar poco a poco el caldo, hasta que la mezcla espese. Agregar la crema de leche y el jerez o el vino. Sazonar al gusto con sal y pimienta. Poner la mitad de la salsa sobre el brócoli. Espolvorear con ½ taza de queso parmesano. Acomodar las porciones de pollo, el resto de la salsa y el queso sobrante. Llevar durante 30 minutos a horno moderado (175°C-350°F), calentado previamente. Servir caliente.

# Puré de camotes [ nueva receta ]

## Ingredientes
(Para 4-6 porciones)

1 kg de camote amarillo
Jugo de 2 naranjas

Azúcar al gusto
100g de guindones picados

## Preparación

Lavar los camotes y cocinarlos hasta que estén suaves. Retirarlos del fuego, pelarlos y hacer un puré con ellos. Incorporar el jugo de las naranjas, el azúcar y los guindones picados.
Puede preparar el puré de camote en el procesador. Para obtener un sabor diferente, mezcle puré de camote con puré de manzanas y de membrillo.

# Puré de manzanas [ nueva receta ]

## Ingredientes
(Para 4-6 porciones)

1 kg de manzanas nacionales
2 clavos de olor
1 trozo de canela
Agua cantidad necesaria

Azúcar al gusto
Agua en cantidad necesaria
1 membrillo (opcional)
2 cdas. de mantequilla

## Preparación

Lavar bien las manzanas, pelarlas y quitarles el centro y las semillas. Cortarlas en cuadraditos o láminas, de tamaño parejo. Ubicarlas en una olla algo profunda con los clavos y la canela. Cubrir con agua y cocinar a fuego lento, hasta que la manzana se deshaga. Mover de rato en rato con una cuchara de madera. Si fuera necesario, agregar agua.
Incorporar el azúcar al gusto y la mantequilla. Mezclar bien.
Puede agregar 1 membrillo cocido y hecho puré. Para pelar el membrillo con facilidad, páselo antes por agua hirviendo.

# Puré de pallares [ nueva receta ]

## Ingredientes
(Para 4-6 porciones)

½ kg de pallares
1 cebolla blanca
3 clavos de olor

Sal y pimienta al gusto
100 g de mantequilla
Leche (si fuera necesario)

## Preparación

Remojar los pallares el día anterior con abundante agua.
Pelar los pallares y colocados en una olla con la cebolla pelada, a la que se le incrustan los clavos en la parte superior. Sazonar con sal y pimienta. Cubrir con agua y cocinar a fuego suave hasta que se deshagan. Salpimentar al gusto. Retirar la cebolla, quitarles los clavos y licuarla. Luego volver a echarla a los pallares. Incorporar la mantequilla y la leche, si fuera necesario.
Este puré es ideal para acompañar cualquier tipo de carne. Se congela muy bien sin perder su sabor.

# Puré de papas [ nueva receta ]

## Ingredientes
(Para 4-6 porciones)

1 kg de papas (amarillas, huayro o
la de su agrado)
100 g de mantequilla

Leche caliente (cantidad necesaria)
Sal, pimienta y nuez moscada

## Preparación

Cocinar las papas con cáscara en abundante agua y sal. Una vez cocidas y calientes, pelarlas y pasarlas por el prensapapas. Colocar nuevamente en la cacerola. Mezclar con la mantequilla y la leche caliente, hasta formar el puré del espesor de su agrado. No se debe batir, porque cambia de aspecto, ya que al soltar el gluten se vuelve gomoso. Condimentar con sal, pimienta y nuez moscada al gusto.
El puré de papas se puede congelar, no así las papas cocidas enteras o en trozos. Para un puré con espinacas, agregar 1 taza de espinaca cocida y picada o licuada. Si lo prefiere de tocino y manzana, picar 50 g de tocino y freír junto con 1 manzana pelada y cortada en cubos pequeños. Al puré de papas se pueden agregar diferentes verduras cocidas, picadas o licuadas, como coliflor, brócoli, zanahoria o zapallo.

# Quinua atamalada

## Ingredientes
(Para 4-6 porciones)

½ kg de quinua
1/3 de taza de aceite
½ taza de cebolla picada
2 dientes de ajo picados

1 cda. de ají panca molido
½ cdta. de orégano
1 cda. de perejil picado
¼ de taza de camaroncitos chinos

Sal y pimienta
1 taza de caldo de pollo
½ taza de queso fresco desmenuzado
Papas amarillas sancochadas

## Preparación

Lavar la quinua varias veces y sancocharla en agua que la cubra. Freír en el aceite la cebolla, los ajos, el ají, el orégano y el perejil. Agregar los camaroncitos bien lavados y salpimentar. Añadir la quinua cocida, el caldo caliente y el queso. Dar un hervor. Acompañar con papas y arroz graneado.

# Quinua con atún [ nueva receta ]

## Ingredientes
(Para 4-6 porciones)

300 g de quinua
3 cdas. de aceite
2 dientes de ajo picado
3 cdas. de ají mirasol

Sal y pimienta al gusto
6 papas amarillas
1 lata de atún

## Preparación

Lavar la quinua hasta que el agua quede transparente. Cocinarla en agua que la cubra y esperar hasta que quede suave. Poner el aceite en una olla. Agregar el ajo, el ají mirasol, la sal y la pimienta. Freír bien. Añadir las papas amarillas cortadas en cubos pequeños y la quinua. Cocinar a fuego lento hasta que las papas estén suaves. Incorporar el atún desmenuzado. Mezclar bien y servir con arroz blanco. Adornar con huevos duros y aceitunas verdes picadas.

# Saltado oriental [ nueva receta ]

## Ingredientes
(Para 4-6 porciones)

¼ de kg de carne (res, pollo o cerdo)
2 cdas. de aceite
1 cebolla cortada a la pluma
1 pimiento en tiras
2 dientes de ajo picados

1 zanahoria cortada en tiras finas de 6 cm de largo
4 cdas. de vinagre rojo
4 cdas. de sillao
1 ají escabeche sin semillas en tiras

3 tomates en cuñas
1 taza de *holantao* limpio
½ taza de cebolla china sin la parte verde

## Preparación

Sazonar la carne y saltearla en el aceite bien caliente y a fuego fuerte. Reservar en recipiente aparte. Freír en la misma sartén la cebolla, el pimiento, los ajos y la zanahoria. Incorporar el vinagre, el sillao y el ají. Saltear 2 minutos y agregar el holantao. Luego incorporar el tomate y la cebolla china. Freír otros 2 minutos y agregar la carne salteada. Verificar la sazón y servir con el jugo. Acompañar con arroz blanco. Además, puede agregar a la preparación ½ kg de tallarín chino cocido al dente para obtener un plato completo.

# Seco de cabrito

## Ingredientes
(Para 4-6 porciones)

6 presas de cabrito tierno
Chicha de jora
1 cdta. de pimentón

Sal, pimienta y comino al gusto
½ taza de aceite
½ kg de cebolla

2 dientes de ajo picados
1 cda. colmada de culantro molido

## Preparación

Dejar macerar los trozos de cabrito por 3 horas o más, con la chicha de jora que los cubra, el pimentón, el comino, la sal y la pimienta. Freír la cebolla en el aceite caliente con los ajos y el culantro. Incorporar el cabrito con el líquido de la maceración. Cocinar a fuego lento con la cacerola destapada. Acompañar con yucas y camotes sancochados o frejoles.
A mitad de la cocción, puede agregar ½ taza de zapallo loche o macre en cubos.

Seco de cabrito

# Seco de chavelo [ nueva receta ]

## Ingredientes
(Para 4-6 porciones)

¾ de kilo de cecina cortada en tiras
6 plátanos bellacos verdes
3 cdas. de aceite
1 cdta. de semillas de achiote

1 cebolla picada en cuadraditos
2 tomates pelados y picados
2 ajíes en juliana

1 cda. de vinagre
½ taza de pimiento rojo en juliana
Sal y pimienta al gusto

## Preparación

Pelar los plátanos con ayuda de un cuchillo y asarlos en una parrilla. Una vez listos, limpiarlos y machacarlos en un mortero o con un palo de amasar. Reservar. Calentar el aceite en una sartén u olla de fondo grueso. Añadir los granos de achiote. Una vez que soltaron color, retirarlos. Agregar la cebolla, el tomate, los ajíes, el pimiento y el vinagre. Cocinar por unos minutos. Incorporar la cecina y esperar a que cocine para añadir los plátanos. Salpimentar al gusto. Si no se dispone de parrilla, cocinar los plátanos con cáscara (cortados en trozos) en agua con 1 pizca de sal. Antes de majarlos, retirarles la cáscara y escurrirlos bien.

# Seco de cordero con causa de pallares [ nueva receta ]

## Ingredientes
(Para 4-6 porciones)

1 kg de pierna de cordero en trozos
2 cebollas picadas
2 tomates picados sin piel

2 dientes de ajo picados
1 pimiento soasado, pelado
1 taza de cerveza negra

½ taza de culantro licuado
2 ajíes verdes (ají escabeche)
Ralladura de 1 naranja

## Preparación

Macerar los trozos de cordero en la cerveza, el pimiento, el ajo picado, el tomate y la ralladura de naranja durante 12 horas. Retirar el cordero sin el líquido de maceración y sellarlo en aceite bien caliente. Reservar aparte. En la misma cacerola, sudar la cebolla, el culantro licuado y el ají escabeche en tiras finas. Agregar el jugo de la maceración, luego el cordero y cocinar a fuego medio durante 60 minutos. Si se reduce el líquido, agregar caldo de carne caliente (puede ser preparado con cubito). Dejar reposar 5 minutos fuera del fuego y servir con abundante salsa, acompañado con la causa de pallares. También puede acompañarse con arroz y plátano frito.

### Causa de pallares
Procesar sin líquido 2 tazas de pallares remojados, pelados y cocidos, mezclados con aceite, jugo de limón y ají escabeche licuado. Salpimentar. Agregar culantro o perejil picados y armar al gusto.

# Seco de pollo o res

## Ingredientes
(Para 8 porciones)

8 presas de pollo o trozos de carne de res
Sal, pimienta y comino
½ taza de aceite

2 dientes de ajo picados
1 taza de cebolla picada
Ají verde al gusto
¼ de taza de culantro molido

¾ de taza de arvejas
1 taza de zanahorias en rodajas
Jugo de limón

## Preparación

Condimentar el pollo o la carne de res con sal, pimienta y comino. Freírlos en el aceite caliente. Retirarlos y en el mismo aceite rehogar los ajos, la cebolla y el ají. Añadir el culantro, las arvejas y las zanahorias. Colocar nuevamente el pollo o res en la olla y cocinar lentamente hasta que esté a punto. Antes de servir, rociar con el jugo de limón. Servir acompañado de papas o yucas sancochadas y arroz.

# Tacu tacu [ nueva receta ]

## Ingredientes
(Para 4-6 porciones)

3 tazas de fréjoles canario
2¼ tazas de arroz cocido
2 cdas. de aceite
2 cdas. de cebolla picada

½ cda. de ajo picado
1 cda. de ají amarillo picado (opcional)
1 cda. de cebolla china picada
1 cda. de perejil picado

## Preparación

Mezclar bien los fréjoles con el arroz. Reservar. Calentar el aceite y freír la cebolla, hasta que esté transparente. Añadir el ajo y, si desea, el ají. Incorporar los frejoles con el arroz, la cebolla china y el perejil. Unir bien. En una sartén (preferible con teflón), colocar 1 cda. de aceite. Calentarlo y cubrir el fondo de la sartén con una capa gruesa de la preparación de fréjoles. Dorarla a fuego medio. Darle la vuelta con una espátula y terminar la cocción. Con la espátula o con un golpe seco, doblarla en 2. El tacú tacú puede prepararse con cualquier menestra y rellenarse o cubrir con salsa de mariscos al servir. Generalmente se sirve con plátano y huevo frito, acompañado de un bistec apanado.

# Torrejitas

## Ingredientes
(Para 4-6 porciones)

4 huevos
Sal y pimienta
Ají al gusto (opcional)
2 cdas. de cebolla sofrita

1 cda. de perejil picado
3 cdas. de harina
½ cdta. de polvo para hornear
Aceite en cantidad necesaria

2 tazas de atún o verdura
(coliflor, brócoli, vainita, zanahoria o arvejas cocidas)

## Preparación

Batir las claras a nieve. Incorporar las yemas, 1 a 1. Sazonar con sal, pimienta y ají al gusto. Agregar la cebolla, el perejil, la harina cernida con el polvo para hornear y la verdura elegida o el atún. Calentar el aceite y poner a freír por cucharadas. Dejarlas cocinar de un lado, darles la vuelta y terminar la cocción. Retirar sobre papel absorbente y servir enseguida.

# Trucha al rocoto [ nueva receta ]

## Ingredientes
(Para 4-6 porciones)

4 a 6 truchas pequeñas
Sal y pimienta
4 cdas. de harina de maíz
Aceite para freír

## Salsa de rocoto

2 cdas. de aceite
1 cebolla picada
1 diente de ajo picado
2 cdas. (o más) de pasta de rocoto

1 cda. de pisco
1 cdta. de huacatay molido
¼ de taza de leche evaporada pura

## Preparación

Calentar el aceite en una sartén grande y freír las truchas a fuego medio. Darles la vuelta. Retirar y mantener en horno bajo para conservarlas calientes.

### Salsa de rocoto
Freír la cebolla y el ajo en aceite caliente. Añadir la pasta de rocoto y mezclar bien. Incorporar el pisco, el huacatay y la leche para dar el espesor necesario. Servir sobre las truchas o colocar en una salsera aparte. Si desea, puede agregar 50 g de queso fresco y 3 galletas de soda molida a la salsa de rocoto. Licuar.

# Pastas

# Canelones [ nueva receta ]

## Ingredientes
(Para 4-6 porciones)

Masa de panqueques (ver receta)
Salsa de tomate (ver receta
«Fideos con salsa de tomate»)

## Relleno

1 kg de requesón o *ricotta*
200 g de jamón inglés picado
1 taza de salsa blanca espesa (ver receta p. 18)
150 g de queso *mozzarella* rallado

## Preparación

Hacer los panqueques y apilarlos. Reservarlos cubiertos con film.

### Relleno:
Mezclar la *ricotta* con el jamón y la salsa blanca espesa. Verificar la sazón. Distribuir el relleno en los panqueques y enrollar.

### Armado:
Esparcir un poco de la salsa en una fuente apta para el horno. Acomodar 1 hilera de canelones. Distribuir otro poco de salsa y encima otra capa de canelones (es importante no sobreponer más de 2 capas). Terminar de cubrir con la salsa. Espolvorear con queso *mozzarella* rallado y llevar al horno para gratinar. Al servir, espolvorear, si desea, con hojas de albahaca.
Canelones con sabor a pachamanca: Utilizar el pollo y el cerdo cocidos como la pachamanca a la olla, y picar o procesar con sus jugos. Mezclar con la salsa blanca espesa del relleno y cubrir con salsa blanca liviana, queso *mozzarella* y, si desea, queso parmesano rallado. Gratinar y servir.
En lugar de los panqueques se puede utilizar pasta seca o fresca (siguiendo las instrucciones del envase), o wantán, previamente cocidos.

# Canutos con pimientos

## Ingredientes
(Para 4-6 porciones)

½ kg de fideos canuto
1 pimiento rojo
1 pimiento verde o amarillo
Hojas de albahaca

3 cdas. de aceite de oliva
1 cda. de vinagre
Sal y pimienta al gusto

**Canelones**

## Preparación

Asar los pimientos. Retirarles la piel y las semillas, y cortarlos en tiritas. Condimentarlos con sal, pimienta, aceite y vinagre. Cocinar los fideos canuto en agua hirviendo salada. Escurrirlos cuando estén al dente. Mezclar de inmediato los pimientos y las hojas de albahaca picadas. Agregar los fideos. Servir enseguida. Este plato también se puede servir frío, como ensalada.

# Coditos con salsa de queso [ nueva receta ]

### Ingredientes
(Para 4-6 porciones)

### Salsa de queso

500 g de fideos codo chico
1 taza de arvejas cocidas
100 g de jamón tipo inglés
1 huevo duro

1 cebolla picada
50 g de mantequilla
2 cdas. de chuño
1 taza de leche

1 taza de caldo de pollo
¼ de kg de queso tipo Edam rallado grueso
Sal, pimienta y nuez moscada al gusto

### Preparación

Cocinar los fideos codo chico, escurrir y mezclar con las arvejas y el jamón. Acomodar en una fuente que pueda ir del horno a la mesa y cubrir con la salsa.

### Salsa de queso

Rehogar en la mantequilla caliente la cebolla. Espolvorear el chuño, remover y añadir poco a poco la leche y el caldo calientes. Revolver e incorporar el queso. Cocinar hasta que el queso se funda y la salsa espese. Retirar, condimentar y cubrir los fideos.
Gratinar en horno caliente y servir.

# Croquetas de fideos

### Ingredientes
(Para 4-6 porciones)

500 g de fideos canuto chico
2 tazas de salsa blanca espesa
Sal, pimienta y nuez moscada
2 cdas. de queso parmesano rallado

2 cdas. de perejil picado
1 huevo batido
Pan rallado en cantidad necesaria
Aceite para freír

### Preparación

Mezclar los fideos canuto chico con la salsa blanca. Condimentar con sal, pimienta y nuez moscada al gusto. Añadir el queso y el perejil. Levantar por cucharadas, pasarlas por harina, después por huevo batido y por pan rallado. Freirías en aceite. Si desea, servirlas bañadas con salsa de tomate y parmesano.

# Espaguetis a la carbonara [ nueva receta ]

## Ingredientes
(Para 4-6 porciones)

500 g de espagueti
100 g de mantequilla
5 cdas. de aceite
2 dientes de ajo

3 huevos
100 g de queso fuerte (paria u otro)
100 g de queso parmesano
200 g de jamón tipo inglés

### Preparación

Cocinar el espagueti en abundante agua con sal. Escurrirlo bien. Aparte, colocar en un recipiente la mantequilla y el aceite. Llevar al fuego y dorar ligeramente los dientes de ajo enteros. Retirarlos. Batir los huevos en un bol y mezclarlos con los dos tipos de queso rallados. Colocar el espagueti en el recipiente con la mantequilla y el aceite y mezclar bien. Agregar el batido de huevos y cocinar. Añadir el jamón cortado en juliana y servir bien caliente.
Nota: Este plato constituía un alimento base de la cocina popular italiana. Se llama alla carbonara porque se cocinaba con carbón de leña.

# Espaguetis a los cuatro quesos [ nueva receta ]

## Ingredientes
(Para 4-6 porciones)

½  kg de espagueti
150 g de queso Roquefort
1 taza de leche
150 g de queso Edam rallado

150 g de queso parmesano rallado
150 g de queso gruyer rallado
¾ de taza de crema de leche
(o leche evaporada pura)

1 cda. de perejil picado
Pimienta blanca a gusto
Nuez moscada al gusto

### Preparación

Cortar el queso Roquefort en trozos pequeños y cocinarlo con la leche hasta que se disuelva. Retirar del fuego y mezclar con el queso gruyer y el queso parmesano rallados. Agregar la crema y el perejil. Condimentar con sal, pimienta blanca recién molida y nuez moscada. Servir con el espagueti bien caliente. Puede variar los quesos a su gusto, considerando siempre elegir uno de sabor fuerte para reemplazar el Roquefort (por queso andino, requesón o paria).

# Espaguetis al minuto [ nueva receta ]

## Ingredientes
(Para 4-6 porciones)

½ kg de espaguetis al dente
5-6 dientes de ajo picados
½ taza de aceite de oliva

3 cdas. de perejil picado
¾ de taza de crema de leche o leche evaporada pura

### Preparación

Saltear los ajos en el aceite caliente. Antes de dorar, añadir el perejil. Incorporar la crema (o leche) sin dejar de revolver con una cuchara de madera. Agregar los espaguetis al dente sobre la salsa hirviendo. Retirar apenas los fideos estén bien calientes e impregnados con la salsa. Cortar, si desea, jamón ahumado (u otro de su preferencia) en tiras de 5 cm x ½ cm. Adornar con ellas la superficie del plato. Servir enseguida.

# Espaguetis con salchichas

## Ingredientes
(Para 4 porciones)

¼ de kg de espaguetis
2 cdas. de margarina
1 cebolla picada
150 g de salchichas

2 pimientos
3 huevos
½ taza de leche

3 cdas. de queso Gouda o
Edam rallado
Sal y pimienta al gusto

### Preparación

Cocinar los espaguetis al dente. Dejarlos escurrir. Freír en la margarina la cebolla y la salchicha. Mezclar con los fideos. Enmantequillar un molde que pueda ir del homo a la mesa. Colocar allí la mitad de los fideos. Cubrir con rodajas finas de pimientos. Agregar encima el resto de fideos. Mezclar los huevos con la leche y el queso. Salpimentar y volcar sobre la pasta. Adornar con rodajas de pimiento. Llevar a homo moderado (175°C o 350°F) por 30 minutos.

# Espaguetis con salsa de pimientos morrones

## Ingredientes
(Para 4-6 porciones)

500 g de espagueti
6 cdas. de margarina
1 diente de ajo
1 cda. de ají molido (opcional)

1 cdta. de sal
1 taza de aceitunas verdes picadas
½ taza de nueces picadas

½ cda. de perejil
2/3 de taza de pimientos morrones

## Preparación

Derretir la mantequilla. Agregar el ajo machacado, el ají y la sal. Aparte, mezclar los pimientos picados con las aceitunas, las nueces y el perejil picado. Cocinar el espagueti y escurrirlo. Unir primero con la mezcla de mantequilla e incorporar luego la salsa de pimientos. Revolver bien y servir enseguida.

# *Fetuccini* a la huancaína [ nueva receta ] con lomo al pisco

## Ingredientes
(Para 4-6 porciones)

100 g de mantequilla
1 taza de crema de leche
o leche evaporada pura
1 taza de salsa huancaína espesa

Sal y pimienta al gusto
5 medallones de lomo en cubos
3 cdas. de pisco
½ kg de *fetuccini* al huevo

## Preparación

Calentar la mantequilla en una sartén. Una vez disuelta, combinarla con la crema o leche. Apenas empiece a hervir, incorporar la salsa huancaína. Rectificar la sazón con sal y pimienta. Reservar. Saltear los cubos de lomo en una sartén con 2 o 3 cdas. de aceite. Salpimentar al gusto. Una vez sellados pero jugosos, incorporar el pisco para flambear. Cuando se haya reducido el alcohol, están a punto para servir. Los *fetuccini* al huevo se cocinan al dente en abundante agua con sal. Escurrirlos y volcarlos en la sartén con la salsa caliente. Mezclar bien y servir acompañando con los cubos de lomo.

# Flan de fideos al atún

## Ingredientes
(Para 4-6 porciones)

½ kg de fideos rigatoni
4 huevos
1 lata grande de leche
evaporada

1 pimiento cocido en tiras
½ taza de queso parmesano
3 cdas. de margarina
derretida

1 lata de atún en trozos
Sal y pimienta

## Preparación

Cocinar los fideos rigatoni. Escurrir y mezclar con los huevos batidos, la leche evaporada, el pimiento, el queso parmesano, la margarina y el atún. Condimentar con sal y pimienta. Mezclar bien. Vaciar en un molde refractario engrasado y llevar a hornear hasta cuajar y dorar. Retirar y servir. También puede bañar la porción con salsa blanca liviana.

# Fideos a la calabresa

## Ingredientes
(Para 4-6 porciones)

500 g de fideos rigatoni
¼ de taza de aceite
¼ de kg de carne de cerdo
en cubitos

¼ de Kg de salchicha italiana,
sin piel
1 cebolla picada
1 diente de ajo picado

1 hoja de laurel
2 pimientos picados
1 cda. de pasta de tomate
Sal y pimienta al gusto

## Preparación

Calentar el aceite y rehogar el cerdo y la salchicha desmenuzada. Agregar la cebolla, el ajo, el laurel y los pimientos. Añadir la pasta de tomate diluida en un poco de agua. Sazonar con sal y pimienta. Retirar cuando esté a punto.
Servir sobre una fuente los fideos rigatoni cocidos al dente y escurridos. Bañar con la salsa bien caliente.
Espolvorear queso parmesano al gusto.

# Fideos a la marinera

## Ingredientes
(Para 8-10 porciones)

1 kg de fideos tallarín
delgado
1 taza de aceite
¾ de kg de cebolla
½ kg de ají verde molido
1 cda. de ajos picados

4 panes remojados
1 cdta. de palillo
Sal, pimienta y comino al gusto
½ kg de pescado
4 docenas de choros

½ kg de pulpo cocido
4 docenas de almejas
2 docenas de caracoles
1 cda. de perejil picado

## Preparación

Dorar la cebolla con los ajos en el aceite, agregar el ají verde y los ajos. Condimentar y añadir el pan remojado en el caldo de los choros. Licuar con el caldo de mariscos hasta obtener una salsa medianamente espesa. Cortar los mariscos crudos, saltearlos en una sartén con un poco de aceite y juntar con la salsa. Dar un hervor y bañar los fideos tallarín delgado. Adornar con pescado frito, ají en tiritas y perejil.

# Fideos a la putanesca [ nueva receta ]

## Ingredientes
(Para 4-6 porciones)

500 g de *fetuccini* al huevo
3 cdas. de aceite de oliva
2-3 dientes de ajo
6 filetes de anchoas

6 aceitunas de botija sin
semilla y fileteadas
1 ½ kg de tomates maduros
pelados y picados

3 cdas. de alcaparras
2 hojas de albahaca (opcional)
Pimienta, orégano y ají al
gusto

## Preparación

Calentar el aceite de oliva en una cacerola. Agregar los ajos picados, las anchoas desmenuzadas y las aceitunas. Incorporar los tomates, las alcaparras y las hojas de albahaca. Condimentar con pimienta y el ají al gusto. Probar y salar si fuera necesario. Retirar cuando todo esté bien caliente. Cocinar el *fetuccini* al huevo al dente. Escurrir y volcar en la cacerola con la salsa caliente. Mezclar todo a fuego lento. Servir enseguida.

# Fideos a la reina

## Ingredientes
(Para 4-6 porciones)

1 pechuga de pollo
1 atado de espárragos hervidos
100 g de margarina
4 cdas. de harina

2 tazas de leche
1 pimiento rojo picado en cuadraditos
1 copa de pisco (opcional)

Queso parmesano rallado
sal, pimienta y nuez moscada
1 cdta. de pimentón
½ kg de tallarín delgado

## Preparación

Sancochar la pechuga en agua y verduras con sal al gusto. Dejar enfriar en su caldo y luego cortar en cubitos. Preparar una salsa blanca con la margarina, la harina, la leche y ½ taza del agua de cocción de los espárragos. Una vez lista, condimentar con sal, pimienta y nuez moscada. Incorporara la salsa blanca el pollo, los espárragos cortados en trozos de 3 cm, el pimiento picado, el pisco, el pimentón y ½ taza de queso parmesano (si necesitara más líquido, agregar un poco de caldo). Cocinar el tallarín delgado en abundante agua hirviendo y sal. Una vez listos y al dente, mezclar con la salsa preparada y caliente. Servir de inmediato y espolvorear más queso parmesano al gusto.

# Fideos a la Singapur

## Ingredientes
(Para 6 porciones)

500 g de fideos tallarín delgado
½ kg de carne de cerdo
3 cdas. de sillao
1 cda. de miel
¼ cdta. de kion rallado

2 o 3 gotas de aceite de ajonjolí (opcional)
3 cdas. de aceite
¼ kg de langostinos
½ taza de apio picado

½ pimiento en tiras
3 o 4 cebollas chinas en trozos
200 g de *holantao* (arvejas chinas)
2 cdtas. de *curry*

## Preparación

Cortar la carne de cerdo en trozos delgados y chicos. Marinar en un tazón junto con el sillao, la miel, el kion rallado y el aceite de ajonjolí. Calentar el aceite en una sartén grande, freír el cerdo y agregar las colitas de langostinos. Saltear y añadir el apio, el pimiento, las cebollas chinas y el *holantao*.
Agregar los fideos tallarín delgado cocidos al dente, revolver para combinar sabores y espolvorear con el *curry* en polvo. Freír todo por un minuto y servir.

# Fideos a lo Alfredo

## Ingredientes
(Para 4-6 porciones)

½ kg de *fetuccini* al huevo
100 g de mantequilla
1 lata de leche evaporada pura

½ taza de queso parmesano rallado
Sal, pimienta y nuez moscada
150 g de jamón fino inglés

## Preparación

Poner a derretir en una cacerola la mantequilla con la leche. Cuando rompa el hervor, agregar el queso parmesano rallado. Cocinar a fuego lento y sin dejar de revolver unos minutos más para reducir. Condimentar al gusto con sal, pimienta y nuez moscada. Incorporar el jamón cortado en cubitos. En el momento de servir, mezclar suavemente con los *fetuccini* al huevo cocidos al dente en abundante agua con sal.

# Fideos al olivo [ nueva receta ]

## Ingredientes
(Para 4-6 porciones)

½ kg de espagueti
100 g de mantequilla
Ají molido al gusto
1 cda. de aceite
2 dientes de ajo picados
1 taza de cebolla picada

½ kg de aceitunas de botija
Sal y pimienta
1 taza de crema de leche
2 huevos duros
3 corazones de alcachofa cocidos

## Preparación

Calentar el aceite con la mantequilla y freír el ají, los ajos y la cebolla. Añadir las aceitunas molidas y salpimentar. Agregar la crema de leche, los huevos duros y las alcachofas picadas. Mezclar con los espaguetis cocidos al dente y servir.
Puede reemplazar la crema de leche por leche evaporada pura.

# Fideos al pesto a la genovesa

## Ingredientes
(Para 4-6 porciones)

½ kg de tallarín delgado
1 taza de hojas de albahaca
2 tazas de agua hirviendo
4-5 pecanas

2 dientes de ajo
¼ de taza de aceite
¼ de taza de queso parmesano rallado
Sal, pimienta y nuez moscada

## Preparación

Lavar las hojas de albahaca, ponerlas en un colador y volcar sobre ellas el agua hirviendo. Enseguida, dejar correr agua fría sobre ellas, escurrir bien y licuar con las pecanas, el ajo, el aceite y el queso parmesano rallado. Condimentar al gusto con sal, pimienta y nuez moscada. Se puede guardar 5 días en un frasco cerrado dentro de la refrigeradora. Si desea un pesto más liviano y ligero, agregar al licuado de albahaca ¼ de kg de espinacas sancochadas y escurridas y 150 g de queso fresco.
Mezclar la salsa con el tallarín delgado y caliente en un wok o sartén grande.

# Fideos con camarones [ nueva receta ]

## Ingredientes
(Para 4-6 porciones)

½ kg de fideos tallarín grueso
2 litros de caldo de camarones
1 kg de camarones
¼ de taza de aceite
2 cebollas picadas

2 dientes de ajo
3 cdas. de pasta de ají mirasol
Pasta de ají verde al gusto
3 cdas. de mantequilla
100 g de aceitunas de botija

## Preparación

Limpiar los camarones, retirarles el coral y reservarlos. Separar y pelar las colitas. Cocinar las cabezas de los camarones en 2 litros de agua. Hervir 10 minutos, licuar y colar. Calentar el aceite y freír la cebolla, los ajos picados, los ajíes y agregar el coral colado. Incorporar el caldo, esperar a que hierva y echar los fideos tornillo. Cocinar hasta que estén a punto. Freír las colitas en la mantequilla y mezclarlas al final. Si necesita más líquido para cocinar los fideos, agregue agua hirviendo. Decorar con aceitunas cortadas en gajos.

**Fideos con camarones**

# Fideos con champiñones

## Ingredientes
(Para 4-6 porciones)

½ kg de fideos rigatoni
3 cdas. de margarina
1 cebolla picada
1 diente de ajo
¼ de kg de champiñones

Sal y pimienta al gusto
1 cdta. de tomillo
¼ de taza de vino blanco
¼ de taza de caldo de carne

## Preparación

Cocinar los fideos rigatoni al dente. Calentar la margarina y freír en ella la cebolla hasta que esté transparente. Añadir el ajo picado y salpimentar al gusto. Agregar los champiñones, espolvorear con el tomillo e incorporar el vino blanco. Dejar evaporar el alcohol y agregar el caldo. Cocinar unos minutos y servir mezclado con los fideos rigatoni

# Fideos con crema de maní

## Ingredientes
(Para 4-6 porciones)

½ kg de fideos
1 ½ tazas de leche evaporada
¼ de kg de maní tostado y molido
5 cdas. de aceite

2 cdas. al ras de harina sin preparar
3 yemas
Sal y pimienta al gusto

## Preparación

Mezclar la leche con el maní. Añadir el aceite, la harina sin preparar y las yemas. Condimentar con sal y pimienta. Llevar al fuego. Mover constantemente hasta que rompa el hervor y espese. Hervir 3 minutos para que la salsa esté cocida. Agregar los fideos cocidos. Servir espolvoreando queso parmesano rallado.

# Fideos con pollo a la lombarda

## Ingredientes
(Para 6 porciones)

500 g de tallarín delgado
6 presas de pollo
½ taza de mantequilla
1/3 de taza de aceite
1 cebolla grande picada

2 dientes de ajo
4 tomates pelados y picados
1 cda. de pasta de tomate
4 ramitas de apio
2 zanahorias ralladas

Sal y pimienta
2 tazas de agua caliente
1 taza de vino blanco
1 taza de arvejas
Queso parmesano rallado al gusto

## Preparación

Dorar las presas de pollo en la mantequilla. Calentar el aceite, freír la cebolla, los ajos, el tomate, la pasta de tomate, el apio y las zanahorias. Salpimentar. Agregar el agua caliente, el vino, las arvejas y el pollo dorado. Aderezar bien y hervir a fuego lento.
Mezclar el tallarín delgado, previamente cocido, con la salsa bien caliente. Servir acompañado con las presas de pollo y espolvoreado con queso parmesano.

# Fideos con salsa al perejil

## Ingredientes
(Para 6 porciones)

½ kg de fideos
1 cda. de jugo de limón
3 cdas. de aceite
2 cdas. de queso parmesano rallado
Sal y pimienta al gusto

## Preparación

Cocinar los fideos hasta que estén al dente. Escurrirlos y reservar. En una cacerola, colocar el perejil, el jugo de limón y el aceite. Llevar al fuego. Condimentar con sal y pimienta negra recién molida. Agregar los fideos y mezclar bien. Servir calientes, espolvoreados con queso parmesano rallado.

# Fideos con salsa colorida

## Ingredientes
(Para 6 porciones)

500 g de fideos tornillo
¼ de taza de aceite
1 cebolla cortada a la pluma
2 poros cortados en aros
1 taza de apio picado
2 zanahorias en tiritas

1 taza de tomates pelados y picados
½ taza de caldo de pollo
250 g de jamón en cubitos
1 taza de champiñones en láminas

½ taza de vino blanco
2 cdas. de sillao
Sal y pimienta al gusto
Queso parmesano rallado

## Preparación

Freír en el aceite caliente la cebolla, el poro y el apio. Cocinar unos minutos y agregar la zanahoria, el tomate y el caldo. Cocinar unos minutos más. Añadir el jamón, los champiñones y el vino blanco. Dejar evaporar el alcohol del vino. Salpimentar y rociar con el sillao. Cocinar los fideos tornillo al dente. Servir de inmediato con la salsa bien caliente. Espolvorear con queso parmesano al gusto.

# Fideos con salsa de ají

## Ingredientes
(Para 4-6 porciones)

100 g de margarina
1 cebolla
1 diente de ajo picado
6 ajíes frescos licuados
1 lata grande de leche evaporada

Sal y pimienta al gusto
½ kg de fideos canuto chico
Queso parmesano rallado en cantidad necesaria

## Preparación

Poner la margarina en una sartén grande y freír la cebolla y el ajo. Agregar los ajíes licuados. Cocinar unos 5 minutos. Añadir la leche y el queso parmesano. Condimentar con sal y pimienta sin dejar de revolver. Incorporar los fideos canuto chico cocidos al dente y escurridos. Mezclar bien con la salsa. Servir y espolvorear con queso parmesano al gusto.

# Fideos con salsa de arvejas

## Ingredientes
(Para 6 porciones)

1 kg de fideos
4 cdas. de aceite
50 g de margarina
1 poro picado (la parte blanca)
1 kg de tomates

8 hojitas de albahaca fresca
½ kg de arvejas
2 tazas de caldo
4 cdas. de queso parmesano rallado
Sal y pimienta al gusto

## Preparación

Rehogar el poro en la margarina y el aceite calientes. Agregar los tomates pelados y las arvejas frescas. Continuar la cocción a fuego bajo. Incorporar el caldo. Al servir sobre los fideos cocidos al dente, retirar las hojitas de albahaca. Agregar la margarina y el queso parmesano.

# Fideos con salsa de brócoli

## Ingredientes
(Para 4-6 porciones)

500 g de *fetuccini* al huevo
3 cdas. de aceite
1 cebolla picada
500 g de brócoli blanqueado

½ vaso de vino blanco o caldo
1 taza de crema de leche
1 taza de queso parmesano rallado
Sal y pimienta al gusto

## Preparación

Saltear la cebolla en aceite caliente. Agregar los ramitos de brócoli blanqueados, cocinar unos minutos y añadir el vino blanco. Dejar evaporar el alcohol y añadir la crema y el queso. Condimentar con sal y pimienta. Cocinar la salsa a fuego suave de 15 a 20 minutos o hasta que espese.
Cocinar los *fetuccini* al huevo en abundante agua y sal. Una vez al dente, colarlos y servirlos con la salsa de brócoli bien caliente.

## Blanqueado
Sumergir las verduras en agua hirviendo en un colador, retirarlas a los 2 o 3 minutos y sumergirlas en agua con hielo. Escurrir y utilizar.

# Fideos con salsa de camarones

## Ingredientes
(Para 6 porciones)

½ kg de fideos canuto
100 g de mantequilla
1 taza de salsa blanca mediana
1 taza de mayonesa

¼ de taza de *ketchup*
1 cda. de perejil picado
2 tazas de colas de camarones peladas
Sal y pimienta al gusto

## Preparación

Cocinar los fideos en abundante agua con sal. Una vez que estén al dente, escurrir y mezclar con la mantequilla. Calentar la salsa blanca con la mayonesa y el *ketchup*. Agregar el perejil. Condimentar al gusto con sal y pimienta. Mezclar la salsa con las colas de camarones. Dar un hervor de 3 minutos. Acomodar los fideos bien calientes en una fuente grande. Cubrir con la salsa también caliente.

# Fideos con salsa de *curry*

## Ingredientes
(Para 4-6 porciones)

500 g de fideos codo rayado
50 g de mantequilla
2 cebollas picadas
2 cdas. de chuño

1 pechuga de pollo
3 cdtas. de *curry*
½ taza de crema de leche

## Preparación

Derretir la mantequilla a fuego lento. Incorporar las cebollas hasta dorar. Agregar el chuño y la pechuga cortada en fina juliana. Añadir el *curry* y la crema de leche. Cocinar los fideos canuto rayado y retirarlos al dente. Escurrir y servir de inmediato, con la salsa bien caliente.

# Fideos con salsa de espinacas

## Ingredientes
(Para 6 porciones)

500 g de fideos corbata
¼ de taza de mantequilla
¼ de kg de espinaca cortada en juliana
1 cdta. de sal

1 taza de *ricotta* o requesón
½ taza de leche
1/3 de cdta. de nuez moscada
¼ de taza de queso parmesano rallado

## Preparación

Calentar la mantequilla. Agregar la espinaca y la sal. Cocinar a fuego moderado durante 10 minutos. Incorporar la *ricotta* deshecha, la leche y condimentar con la nuez moscada. Unir bien a los fideos corbata cocidos al dente. Servir espolvoreando el queso parmesano rallado.

# Fideos con salsa de menudencias

## Ingredientes
(Para 4-6 porciones)

1 kg de fideos
100 g de margarina
Menudencias de 2 pollos
1 taza de caldo de pollo

100 g de jamón picado
½ cebolla picada
1 cdta. de orégano
Sal y pimienta al gusto

## Preparación

Derretir la margarina. Agregar el jamón y la cebolla. Saltear sin que la cebolla se dore. Agregar la menudencia picada y escurrida. Cocinar y luego incorporar el caldo. Sazonar con sal y pimienta. Dejar a fuego lento con la cacerola tapada, hasta que se cocine bien la menudencia. Al servir, mezclar el orégano. Servir sobre los fideos cocinados al dente y escurridos.
Sugerencia: Para aumentar la salsa, se puede agregar 150 g de carne de res molida. En ese caso se necesitará más caldo.

# Fideos con salsa de nueces

## Ingredientes
(Para 4-6 porciones)

½ kg de tallarín grueso
¼ de kg de nueces peladas
1 diente de ajo
½ taza de aceite

Sal al gusto
100 g de margarina
1 taza de caldo
1 cda. de pasta de ají amarillo (opcional)

## Preparación

Licuar las nueces picadas con el ajo, el aceite y sal al gusto, hasta que resulte una salsa lisa. Unir esta preparación con la margarina y el caldo. Cocinar unos 10 minutos moviendo constantemente con una cuchara de madera. Sancochar el tallarín grueso. Una vez al dente, escurrir y servir inmediatamente con la salsa.
Para pelar las nueces, sumergirlas en agua hirviendo unos minutos hasta aflojar la piel.

# Fideos con salsa de tomate

## Ingredientes
(Para 4-6 porciones)

½ kg de fideos tallarín delgado
1 kg de tomate italiano
4 cdas. de aceite
1 cda. de pasta de tomate
1 hoja de laurel

1 diente de ajo picado
1 cebolla picada
1 pimiento cortado en cuadraditos
Sal y pimienta al gusto

## Preparación

Sumergir por unos minutos los tomates italianos, bien rojos, en agua hirviendo. Retirar y pelar. Calentar el aceite en una olla mediana. Saltear el ajo picado, la cebolla y el pimiento. Agregar la pasta de tomate, los tomates pelados y picados, la hoja de laurel y condimentar con sal y pimienta. Cocinar a fuego lento hasta que la salsa esté a punto (¾ de hora, más o menos). Incorporar el tallarín delgado cocido al dente, escurrir y servir.

**Fideos con salsa de nueces**

# Fideos con salsa delicia

## Ingredientes
(Para 4-6 porciones)

500 g de fideos codo rayado
3 cdas. de aceite
1 cda. de cebolla picada
100 g de tocino picado
4 tomates rojos

¾ de taza de caldo de pollo
200 g de *ricotta* o queso crema
1 cda. de albahaca picada
Sal y pimienta al gusto
Queso parmesano

## Preparación

Calentar el aceite y freír la cebolla y el tocino durante 2 o 3 minutos. Agregar el tomate y reducir a la mitad. Verter el caldo, añadir el queso crema y revolver. Cocinar durante 5 minutos o hasta que espese. Sazonar con albahaca, sal y pimienta. Añadir los fideos codo rayado al dente. Revolver y servir muy caliente. Rociar con queso parmesano.

# Fideos con salsa Strogonoff

## Ingredientes
(Para 4-6 porciones)

½ kg de *fetuccini* al huevo
100 g de margarina
½ taza de cebolla picada
150 g de champiñones

½ kg de lomo de res
Caldo de carne
2 cdas. de *ketchup*
1 diente de ajo

3 cdas. de harina
1 taza de crema de leche
1 taza de caldo
Sal y pimienta

## Preparación

Derretir la margarina en 1 cacerola y rehogar en ella la cebolla picada. Una vez lista, agregar los champiñones y saltear 1 minuto (reservar el líquido). Retirar la cebolla y los champiñones. En la misma sartén, freír el lomo cortado en cubitos (sin nervios ni grasa). Medir el líquido de los champiñones y completar con caldo hasta obtener 1 taza. Agregar el líquido a la cacerola junto con el *ketchup* y el ajo machacado. Tapar y dejar hervir 15 minutos. Incorporar la harina mezclada con ½ taza de caldo, los champiñones y la cebolla rehogados. Revolver constantemente hasta que espese y hierva 3 minutos. Añadir la crema de leche. Mezclar bien, rectificar la sazón y servir sobre los *fetuccini* al huevo cocidos al dente, escurridos y colocados en una fuente.

# Fideos con tocino

## Ingredientes
(Para 4-6 porciones)

½ taza de cebollas
100 g de margarina
½ kg de tocino picado

½ kg de fideos corbata
100 g de queso parmesano rallado

## Preparación

Freír la cebolla en la margarina. Picar el tocino y freírlo hasta que esté crocante. Reservar 2 cdas. para adornar. Unir con la cebolla y la margarina. Volcar sobre esta preparación los fideos corbata, cocidos al dente y escurridos, y mezclar. Adornar con el tocino reservado y espolvorear abundante queso parmesano rallado. Servir inmediatamente.

# Fideos primavera

## Ingredientes
(Para 4-6 porciones)

500 g de fideos tornillo
2 cdas. de aceite
2 tazas de brócoli cocido
2 tazas de coliflor cocida
2 dientes de ajo picados
2 pimientos rojos cortados en tiras

¼ de taza perejil picado
1 cda. de albahaca
3 cdas. de margarina
1/3 de taza de queso parmesano
Sal y pimienta al gusto

## Preparación

Calentar el aceite en una cacerola grande, y combinar brócoli, coliflor, ajo, pimienta, perejil y albahaca. Cocinar unos momentos sin dejar de revolver. Mezclar los fideos tornillo cocidos y escurridos con la margarina derretida. Agregar las verduras y el queso. Sazonar con sal y pimienta, y servir inmediatamente.

# Fideos vegetarianos

## Ingredientes
(Para 4-6 porciones)

½ kg de fideos codo rayado
3 cdas. de aceite
1 cebolla en juliana
2 dientes de ajo picados
4 tomates pelados y picados
½ cda. de pasta de tomate

2 zapallitos italianos en cubos y con cáscara
1 pimiento cortado en juliana
1 taza de arvejas sancochadas
1 atado de espárragos cocidos (opcional)
1 cda. de albahaca picada
Queso parmesano rallado

## Preparación

Cocinar los fideos codo rayado en abundante agua con sal hasta que estén al dente. Calentar el aceite y freír la cebolla. Agregar el ajo, los tomates y la pasta de tomate. Saltear por 5 minutos. Incorporar el zapallito, el pimiento, las arvejas y los espárragos. Cocinar unos minutos más, añadir la albahaca, mezclar y servir con los fideos. Espolvorear con el queso parmesano.

# Frituras de fideos corbata

## Ingredientes
(Para 4-6 porciones)

¼ de kg de fideos corbata
3 claras
3 yemas
½ taza de cebolla china picada
1 cda. de harina preparada

1 cda. de perejil picado
3 cdas. de queso parmesano
Aceite para freir
Sal y pimienta al gusto

## Preparación

Cocinar los fideos corbatitas al dente. Escurrir o usar 2 tazas de fideos cocidos que sobraron, ya sean cortos o largos. Batir las claras a punto de nieve. Incorporar las yemas 1 a 1, la cebolla, la harina preparada, el perejil y el queso. Salpimentar al gusto. Freír por cucharadas en aceite caliente. Dejar cocinar por un lado. Luego, darles vuelta y terminar la cocción. Retirar sobre papel absorbente y servir caliente.

# Lasaña al pesto [ nueva receta ]

### Ingredientes
(Para 4-6 porciones)

### Salsa Blanca

### Pesto

6 hojas de masa de lasaña
2 bolas de queso *mozzarella*
¼ de kg de queso parmesano

3 cdas. de harina
3 cdas. de mantequilla
2 tazas de leche

1 taza de hojas de albahaca,
½ taza de hojas de perejil y
aceite

### Preparación

Colocar abundante agua en una olla profunda. Una vez que hierva, agregar 2 cdtas. de sal e ir cocinando hoja por hoja la masa de lasaña. Una vez cocida, retirar a un recipiente con abundante agua fría. Luego colocar sobre un secador limpio y seco antes de armar.
Armado: Untar la fuente con 3 cdas. de salsa blanca. Agregar 1 lámina de masa y pintar con 1 cda. de salsa blanca. Espolvorear encima queso *mozzarella* y parmesano rallados. Cubrir con otra capa de masa y repetir hasta terminar con la masa. Encima poner la salsa blanca restante y el pesto. Tapar con papel aluminio y llevar a horno moderado (175°C-350°F) por 25 a 30 minutos. Esta lasaña se puede congelar. Para utilizarla, descongelar en el microondas.

# Lasaña clásica

### Ingredientes
(Para 6 porciones)

### Masa

### Relleno

3 tazas de harina sin preparar
1 huevo

Sal y agua en cantidad
necesaria
2 cdas. de aceite

2 tazas de salsa blanca
liviana (p. 18)
Queso parmesano
1 receta de salsa de tomate
(p. 182)

### Preparación

Cernir la harina en un tazón junto con la sal. Hacer un hueco al centro e incorporar el huevo y el aceite. Mezclar con ayuda del tenedor. Ir agregando agua para formar el bollo de masa, que se trabaja con energía sobre la mesa. Dividir la masa en bolitas y dejarla descansar tapada por 10 minutos.
Estirar cada bolita sobre la mesa enharinada. Con ayuda del rodillo, deben quedar bien finas. Cortar rectángulos ligeramente más chicos que el molde en que se va a armar. Cocinar de 1 en 1 en abundante agua hirviendo con sal. Retirar y sumergir en un recipiente con agua fría. Colocar sobre un secador limpio y seco antes de armar.

Untar la fuente con salsa blanca e intercalar la pasta cocida, la salsa blanca y el relleno elegido. Terminar con salsa blanca y espolvorear con queso parmesano. Cubrir con papel aluminio y colocar en el horno a 150°C-300°F por 10 minutos. Retirar el papel y dejar 15 minutos más. La masa se puede reemplazar con masa wantán o crepes.

## Opciones de relleno

De carne: Jamón, queso *mozzarella*, queso parmesano y tuco.
De mariscos: Queso *mozzarella*, camarones o langostinos, conchas, etcétera, y salsa de tomate.
De quesos: Queso *mozzarella*, queso parmesano, queso Edam, Gouda o Roquefort.

# Lasaña con alcachofas y espinacas [ nueva receta]

## Ingredientes
(Para 4-6 porciones)

| | | |
|---|---|---|
| 100 g de mantequilla | 8 corazones de alcachofas | 200 g de queso *mozzarella* |
| 2 cdas. de poro picado | cocidos y picados | rallado |
| 1 kg de espinacas cocidas | 2 tazas de leche evaporada | Sal y pimienta al gusto |
| 150 g de queso Edam o Gouda | pura | 6 hojas de masa de lasaña |
| 100 g de queso parmesano | 1 taza de salsa blanca | fresca o masa wantán |
| rallado | mediana | |

## Preparación

Derretir la mitad de la mantequilla. Dorar en ella 1 cda. de poro. Añadir las espinacas y cocinar por unos minutos. Agregar 1 taza de leche y la mitad del queso parmesano. Salpimentar al gusto. Preparar el otro relleno con el resto de mantequilla, el poro, las alcachofas, la leche y el queso parmesano.
Poner en una olla abundante agua y agregar sal en el momento que rompe el hervor. Cocinar lámina por lámina e ir retirándolas a un tazón con agua fría. Sacarlas y ponerlas sobre un paño seco, hasta terminar con toda la masa. Armado: Cubrir el fondo de un molde que pueda ir al horno con 1 lámina de masa. Distribuir la mitad del relleno de espinaca y espolvorear la mitad del queso Edam o Gouda. Tapar con otra lámina de masa y pintarla con 2 cdas. de salsa blanca y la mitad de la mezcla de alcachofas. Cubrir con la mitad del queso *mozzarella* rallado.
Repetir la operación hasta terminar con la masa. Colocar la salsa blanca restante. Hornear a temperatura moderada hasta que esté bien caliente. Si desea, se puede espolvorear con más queso parmesano o *mozzarella*.

# Lasaña de espaguetis

## Ingredientes
(Para 4-6 porciones)

½ kg de espaguetis
2 tazas de salsa blanca liviana (ver p. 18)
6 a 8 corazones de alcachofa

200 g de queso *mozzarella* o queso mantecoso rallado
100 g de jamón inglés
1 taza de queso parmesano rallado

## Preparación

Cocinar los espaguetis y escurrirlos. Cubrir el fondo de un molde refractario de 30 x 20 cm con una fina capa de salsa blanca. Colocar encima la tercera parte de los fideos. Cubrir con salsa blanca y corazones de alcachofa partidos en láminas. Espolvorear con queso *mozzarella* y queso parmesano rallados. Colocar nuevamente los espaguetis, la salsa blanca, el jamón, el queso *mozzarella* y el queso parmesano. Acomodar el resto de fideos. Cubrir con salsa blanca, queso *mozzarella* y queso parmesano. Llevar a gratinar en el horno unos 25 minutos antes de servir.

# Leche asada con fideos cortos

## Ingredientes
(Para 4-6 porciones)

4 cdas. de queso parmesano
Sal, pimienta y nuez moscada
2 cdas. de margarina derretida

½ kg de fideos corbata o tornillo
4 huevos
1 ¾ tazas de leche evaporada

## Preparación

Cocinar al dente los fideos corbata o tornillo en abundante agua con sal. Colar. Mezclar en un tazón los huevos, la leche, el queso, la sal, la pimienta y la nuez moscada. Incorporar la margarina. Enmantequillar un molde de 20 cm x 20 cm y volcar en él la preparación. Llevar a horno moderado (175°C-350°F) a baño María por unos 30 minutos. Si desea, servir bañado con salsa de tomate.

# Ñoquis livianísimos

## Ingredientes
(Para 4-6 porciones)

½ kg de papas
400 g de harina sin preparar
Sal al gusto

## Preparación

Cocinar las papas después de pelarlas en agua con sal. Pasarlas por el prensapapas. Agregar la harina y amasar hasta formar una masa suave. Dividir en trozos. Formar cilindros y cortar en trocitos de 3 cm. Pasarlos por un tenedor o un rallador especial para marcarlos. Cocinar en abundante agua hirviendo con sal. Al subir a la superficie se deben retirar con ayuda de una espumadera. Se acomodan en una fuente y se cubren con salsa al gusto y queso parmesano.

# Pastas con salsa cruda [ nueva receta ]

## Ingredientes
(Para 4-6 porciones)

½ kg de fideos canuto chico o espagueti
5 tomates pelados
Hojas de albahaca
200 g de queso fresco (opcional)

Sal y pimienta al gusto
5 cdas. de aceite (aprox.)
Queso parmesano rallado (opcional)

## Preparación

Cortar los tomates en dados pequeños y colocarlos en un recipiente junto con las hojas de albahacas partidas con la mano y el queso en cubitos. Mezclar todo con aceite vegetal o de oliva y condimentar al gusto con sal y pimienta. Cocinar al dente los fideos canuto chico o espagueti en abundante agua salada. Escurrir bien y volcar en el recipiente con la salsa cruda. Mezclar todo cuidadosamente. Servir de inmediato.
La albahaca es la hierba que mejor aromatiza las salsas que acompañan pastas. También puede incorporar a la salsa cruda 150 g de aceitunas en rodajas, verdes o de botija.

# Pastel de fideos

## Ingredientes
**(Para 4-6 porciones)**

250 g de fideos corbata
3 poros (parte blanca)
2 cdas. de aceite
100 g de tocino

1 cda. de mantequilla
300 g de salchicha
2 yemas y 2 claras
Sal y pimienta

100 g de tocino
1 cda. de harina
50 g de queso Gouda rallado
Pan rallado en cantidad
necesaria

## Preparación

Cocinar al dente los fideos corbata en abundante agua con sal. Dorar en aceite caliente el poro cortado en rodajas finas. Dorar el tocino, sin grasa, incorporar la mantequilla y las salchichas, agregar el poro y mezclar con los fideos. Añadir las yemas, la sal y la pimienta. Batir las claras a nieve. Espolvorear la harina y mezclar suavemente con los fideos. Engrasar un molde y verter la preparación en él. Espolvorear el queso, cubrir con pan rallado y hornear durante 20 minutos en horno moderado.

# Polenta con tuco dominguero

## Ingredientes
**(Para 4-6 porciones)**

2 litros de agua o caldo
½ kg de polenta
½ taza de tuco
¼ de kg de queso mantecoso o *mozzarella*

Sal
100 g de margarina
Leche en cantidad necesaria
Queso parmesano para espolvorear

## Preparación

Hervir el agua o caldo y agregar sal. Añadir la polenta en forma de lluvia, sin dejar de revolver para evitar los grumos. Cocinar unos minutos moviendo con una cuchara de madera para que no se pegue. Cuando esté cocida (es decir, cuando se desprenda del fondo de la olla), incorporar la margarina en trozos y la leche para soltarla, si hubiera quedado muy espesa (no debe quedar ni muy dura, ni muy blanda).
Calentar el tuco, cortar el queso en láminas y servir. Poner un cucharón de polenta en un plato hondo. Agregar tuco, láminas de queso, otra porción de polenta y cubrir con tuco. Espolvorear con queso parmesano. Servir de inmediato. Se debe comer caliente. Se puede armar en una fuente, gratinar y servir.

## Tuco

Picar 2 cebollas y rehogarlas en ½ taza de aceite hasta que estén transparentes. Agregar 2 zanahorias ralladas y ½ kg de carne molida. Revolver y cocinar hasta que la carne cambie de color. Incorporar ¾ de kg de tomates pelados y picados. Condimentar con sal y pimienta y 1 pizca de azúcar. Cocinar ¾ de hora a fuego lento, hasta que la salsa esté a punto.

Esta salsa es clásica e ideal para acompañar cualquier tipo de pasta.

# Ragú a la boloñesa

## Ingredientes
**(Para 4-6 porciones)**

½ kg de espagueti o tallarín delgado
2 cdas. de margarina
1 cdta. de aceite
½ taza de cebolla picada
½ taza de zanahoria picada

½ taza de apio picado
½ taza de tocino picado
100 g de carne de res molida
2 hígados de pollo picados
1 cda. de perejil picado
3 cdas. de pasta de tomate

2 cdas. de hongos secos
2 tazas de crema de leche o leche evaporada pura
Sal, pimienta y nuez moscada
Queso parmesano al gusto

## Preparación

Colocar la margarina y el aceite en una olla. Dorar las verduras y el tocino. Añadir la carne y los hígados. Dorar. Espolvorear el perejil y agregar la pasta de tomate, diluida en ½ taza de agua caliente, y los hongos escurridos y picados. Cocinar por 1 hora con la olla a medio tapar, mezclando de vez en cuando. Incorporar la crema y el líquido en que fueron remojados los hongos. Continuar hasta que la salsa tome la consistencia deseada. Hervir el espagueti o el tallarín delgado en abundante agua con sal y retirarlos al dente. Colar y servir con la salsa bien caliente. Espolvorear queso parmesano al gusto.

# Ragú de berenjenas

## Ingredientes
(Para 6 porciones)

½ kg de fideos
3 berenjenas medianas
4 cdas. de aceite
¼ de kg. de cebollas picadas

½ kg de tomates pelados y picados
100 g de aceitunas verdes sin semilla
1 pizca de especias molidas (orégano, perejil,
etcétera)

## Preparación

Pelar y cortar las berenjenas en dados. Ponerlas en un colador y dejarlas así durante media hora. Enjuagarlas bien y dorarlas en aceite en una sartén, junto con las cebollas y los tomates. Sazonar con sal y pimienta, 1 pizca de azúcar y especias. Añadir las aceitunas cuando las verduras estén ligeramente doradas y, si fuera necesario, un poco de agua. Tapar la sartén y dejar cocinar hasta que estén tiernas. Servir enseguida con los fideos cocidos al dente.

# Ragú especial

## Ingredientes
(Para 6 porciones)

½ kg de espaguetis
4 cdas. de margarina
1 cda. de aceite
1 cebolla picada en cuadraditos
1 cda. de perejil picado
1 hoja de laurel

½ kg de tomate pelado y
picado
200 g de salchicha blanca
1 taza de vino blanco
1 zanahoria rallada

1 rama de apio picada
finamente
½ taza de agua de cocción
de los fideos
½ taza de crema de leche

## Preparación

Calentar la margarina con el aceite. Cocinar la cebolla hasta que quede transparente. Agregar la zanahoria, el apio, el perejil, el laurel, el tomate y la salchicha. Cocinar unos minutos e incorporar los hongos lavados y remojados previamente en ¼ de taza de vino blanco. Dejar evaporar el vapor del vino y añadir el agua de cocción de los fideos. Cocinar 1 hora a fuego lento y con la olla tapada. Servir sobre los espaguetis cocidos al dente.

# Tallarines a la crema de pollo [ nueva receta ]

## Ingredientes
(Para 4-6 porciones)

½ kg de tallarín delgado
1 pechuga de pollo cocida
200 g de jamón inglés en cubos
80 g de mantequilla

Sal y pimienta al gusto
5 tomates pelados y sin semillas
3 tazas de salsa blanca liviana (ver receta p. 18)

½ taza de crema de leche
1 cda. de finas hierbas (opcional)
½ taza de pan rallado

## Preparación

Freír el pollo en la mitad de la mantequilla y el jamón en la otra parte. Mezclar la salsa blanca con la crema, las finas hierbas y condimentar. Pintar con mantequilla un molde que pueda ir del horno a la mesa. Encima acomodar una capa de tallarín delgado cocido, pollo, jamón y tomate picado en cuadraditos. Poner salsa nuevamente y continuar hasta terminar con los fideos. Espolvorear con el pan rallado y gratinar hasta que dore.

# Tallarines con frutos del mar

## Ingredientes
(Para 4-6 porciones)

½ kg de tallarín grueso
½ kg de mariscos surtidos (conchas, colitas de camarón o langostinos, almejas, pulpo, choros)

100 g de mantequilla
1 taza de crema de leche
1 copita de vodka o pisco

## Preparación

Cocinar el tallarín grueso en abundante agua con sal y escurrir. Saltear en la mantequilla los mariscos surtidos, al gusto, todos previamente bien limpios y picados, dejando algunos enteros para decorar. Condimentar con sal, pimienta y, si desea, ají. Retirar los mariscos con ayuda de una espumadera y reservar. En la misma cacerola, sin lavar, incorporar la crema de leche, bajar el fuego y dejar reducir por unos minutos. Agregar el vodka o pisco y mezclar bien. Incorporar los mariscos y servir con los tallarines calientes.

# Postres

# Alfajores

## Ingredientes
(Para 6-8 porciones)

1 kg de harina preparada
3 cdtas. de polvo para hornear
1 cdta. de sal
3 cdas. de azúcar

½ kg de manteca
1 copa de anisado
12 cdas. de leche
2 tazas de manjar blanco

## Preparación

Cernir la harina mezclada con el polvo para hornear y la sal. Agregar el azúcar y la manteca. Deshacer con ayuda de un tenedor hasta formar un granulado. Incorporar el anisado y la leche. Armar la masa y dejar descansar. Dividir en 6 bollitos. Estirar cada uno en forma circular con ayuda del rodillo y sobre la mesa enharinada. Llevar a horno moderado (175°C-350oF) en latas enmantequilladas y enharinadas. Retirar apenas dorados. Enfriar y rellenar con manjar blanco capa por capa. Cernir en la superficie abundante azúcar en polvo. Con esta receta se pueden hacer también pequeños alfajores.

# Alfajores de maicena

## Ingredientes
(Para 25 porciones)

100 g de margarina
½ taza de azúcar
4 yemas

1 cda. de ralladura de limón
½ taza de harina
1 cdta. de polvo para hornear

1 ¾ tazas de maicena
Manjar blanco en cantidad
Coco rallado en cantidad necesaria

## Preparación

Batir la margarina con el azúcar hasta formar una crema. Agregar las yemas 1 a 1 sin dejar de batir. Incorporar la ralladura y mezclar agregando los ingredientes secos cernidos. Armar la masa y estirar a ½ cm de espesor. Cortar discos de 6 cm de diámetro o menos. Hornear a temperatura moderada (175°C-350°F) sobre latas enmantequilladas y enharinadas. No dorar, deben quedar claros. Unir de a 2 con manjar blanco. También untar alrededor y pasar por coco para que se adhiera.

Alfajores

# Alfajorcitos de miel

## Ingredientes
(Para 3 docenas)

4 tazas de harina sin preparar
1 cdta. de sal
1 taza de manteca
4 cdas. de leche

### Relleno

700 g de chancaca
½ taza de nueces picadas
½ taza de pan molido

## Preparación

Cernir en un tazón la harina sin preparar con la sal. Hacer un hueco al centro y colocar allí la manteca y la leche. Unir todos los ingredientes y amasar hasta que la mezcla se desprenda de las manos. Estirar con un rodillo y cortar discos pequeños. Acomodar en latas limpias para hornear. Llevar al horno de temperatura moderada (175°C o 350°F) hasta que estén cocidos.

## Relleno:
Cortar la chancaca en trocitos. Cubrir con agua y cocinar hasta que se deshaga y espese. Añadir las nueces y el pan. Revolver y dejar tomar punto espeso para rellenar los alfajorcitos.

# Arroz con leche

## Ingredientes
(Para 6 porciones)

5 tazas de agua
1 raja grande de canela
1 pizca de sal

1 lata de leche evaporada
1 ½ tazas de azúcar
1 taza de arroz

1 cdta. de esencia de vainilla
Canela molida

## Preparación

Poner el agua a hervir en una cacerola con la canela y la sal. Cuando rompa el hervor, agregar el arroz, tapar la olla y dejar hervir a fuego lento hasta que seque. Añadir la leche y el azúcar, moviendo constantemente hasta que tome punto. Agregar la vainilla. Vaciar la dulcera y espolvorear con canela.
Para preparar una receta especial, verter el arroz con leche una vez frío en un bol y mezclar con 2 tazas de crema chantilly. Se obtendrá una preparación espesa. Salsa para acompañar: Mezclar 1 taza de dulce de leche con 4 cdas. de vino dulce y llevar al fuego hasta hervir. Servir en copas o platos. Colocar en la base salsa de dulce de leche y encima copos de arroz con leche, espolvoreados con cocoa y canela.

**Arroz con leche**

# Arroz zambito

## Ingredientes
(Para 6 porciones)

1 litro de leche
2 tazas de agua
1 raja de canela
3 clavos de olor
1 taza de arroz

2 tapas de chancaca
½ taza de pasas
½ taza de nueces
Canela en polvo

## Preparación

Hervir la leche con el agua, la canela y el clavo. Echar el arroz. Al empezar a hervir, añadir la chancaca en trocitos, las pasas y las nueces. Terminar la cocción y volcar a una dulcera. Espolvorear con la canela en polvo.

# *Bavarois* de frutas

## Ingredientes
(Para 6-8 porciones)

2 cdas, de colapez
½ taza de agua fría
3 yemas
½ taza de azúcar
½ taza de leche

1 taza de frutas picadas en almíbar (fresas, duraznos o peras)
1 taza de yogur del sabor de la fruta elegida
3 claras

½ taza de azúcar
1 taza de crema de leche batida a ½ punto
1 taza de fruta licuada
2 cdas. de pisco o ron

## Preparación

Hidratar la colapez en el agua fría y disolver al calor.
Batir las yemas con la ½ taza de azúcar, hasta que estén blancas. Añadir en forma de hilo la leche caliente y volcar a una olla pequeña. Llevar al fuego, hasta que espese, sin dejar de mover. No dejar que hierva y terminar cuando nape la cuchara. Retirar del fuego y enfriar en un bol, sobre hielo. Incorporar la fruta y el yogur a la crema de yemas fría. Mover bien y añadir las claras batidas a punto de nieve con el azúcar, la colapez en forma de hilo y al final la crema batida, con suaves movimientos envolventes. Volcar la mezcla a un molde aceitado o forrado con film o mica en los lados yen el fondo. Refrigerar por 4 horas o hasta que cuaje. Servir con una salsa preparada con la fruta licuada y 2 cdas. de pisco o ron.

# *Bavarois* con salsa de chocolate

## Ingredientes
(Para 8-10 porciones)

2 cdas. de colapez
½ taza de agua
7 claras

¾ de taza de azúcar
1 ½ tazas de pulpa de frutas
(lúcuma, chirimoya, mango)

2 tazas de crema batida a
medio punto (opcional)

## Preparación

Hidratar la colapez en el agua fría. Disolverla al calor, sin que hierva. Batir las claras a punto de nieve. Incorporar la colapez, sin dejar de batir, en forma de hilo. Agregar el azúcar en forma de lluvia. Retirar de la batidora y mezclarle la fruta elegida. Si utiliza crema, incorpórela en este momento. Volcar a un molde aceitado o forrado con mica, en las paredes y el fondo. Utilizar un molde de 10 cm x 30 cm o uno de 30 cm de diámetro. Llevar a la refrigeradora a cuajar por 2 horas. *Fudge* fácil: Poner en el vaso de la licuadora 120 g de leche en polvo, ½ taza de agua hirviendo, ¾ de taza de azúcar, ½ taza de cocoa y 1 cda. de mantequilla. Licuar bien, colar y dejar reposar ½ hora para utilizar. Poner en una salsera para servir con el *bavarois*. Humedezca el plato en que va a desmoldar el *bavarois*, para que pueda acomodarlo fácilmente con las manos, en caso no caiga en el sitio preciso.

# Bizcocho de mandarinas [ nueva receta ]

## Ingredientes
(Para 10-12 porciones)

¾ de taza de aceite
2 tazas de azúcar
3 mandarinas
2 huevos

1 cdta. de vainilla
2 tazas de harina preparada
1 cdta. de polvo para hornear

## Preparación

Colocar en la licuadora el aceite, el azúcar, la vainilla, los huevos y las mandarinas en trozos, con cascara y sin pepas. Licuar y volcar esta mezcla a un tazón grande. Añadirle la harina cernida con el polvo para hornear. Vaciar la mezcla a un molde de 30 cm de diámetro, con tubo en el centro, enmantequillado y enharinado. Hornear a 175°C - 350°F durante 40 minutos. Antes de poner un bizcocho al horno, este debe precalentarse por 10 a 15 minutos, a la temperatura elegida. Para desmoldar, deje el molde fuera del horno unos 10 minutos.

# Bizcochuelo básico y variaciones

## Ingredientes
(Para 12 porciones)

6 huevos
1½ tazas de azúcar
1 taza de harina preparada

1 taza de chuño
1½ cdtas. de polvo para hornear
1 copita de pisco

## Preparación

Batir los huevos hasta que estén espumosos. Añadir el azúcar en forma de lluvia y seguir batiendo hasta que quede a punto cinta. Fuera de la batidora, incorporar los ingredientes secos previamente cernidos 3 veces. Mezclar con movimientos envolventes. Al final, incorporar el pisco. Volcar la preparación dentro de un molde enmantequillado y enharinado (solo en el fondo) de 30 cm de diámetro. Llevar a horno moderado (175°C-350°F) por 40 minutos.
Si desea que el bizcochuelo sea de chocolate, añadir 2 cdas. colmadas de cocoa. Si fuera de nuez, añadir 2 cdas. de nueces molidas. Para el de naranja, agregar ¾ de taza de jugo de naranja y 1 cda. de ralladura de naranja.

# *Brownies*

## Ingredientes
(Para 6 porciones)

½ taza de harina
½ taza de margarina
1 taza de azúcar
2 huevos batidos
5 cdas. de cocoa

1 pizca de sal
½ cdta. de polvo para hornear
1 taza de nueces picadas
½ cdta. de vainilla

## Preparación

Batir la margarina con el azúcar hasta formar una crema. Agregar los huevos. Cernir los ingredientes secos y mezclarlos a la preparación anterior, al igual que las nueces y la vainilla. Volcar a un molde cuadrado de 16 cm x 16 cm, enmantequillado. Llevar a horno moderado (175°C-350°F) por 30 minutos.

# Budín de chancays

## Ingredientes
(Para 8 porciones)

¾ de taza de azúcar para el caramelo
4 chancays dobles
2 cdas. de margarina
4 huevos
1 lata de leche evaporada caliente

1/3 de taza de azúcar
1 copita de oporto
1 cdta. de vainilla
½ taza de pasas

## Preparación

Acaramelar un molde de 20 cm de diámetro. Desmenuzar los chancays y remojar en la leche por 15 minutos. Mezclar los huevos con el azúcar y los chancays remojados, la margarina derretida, el oporto, la vainilla y las pasas. Poner la mezcla en el molde. Hornear a baño María a temperatura moderada (175°C o 350°F) durante 45 minutos. Retirar, dejar entibiar y desmoldar.

# Budín de pan

## Ingredientes
(Para 6-8 porciones)

2 tazas de miga de pan fresco
8 cdas. de azúcar
1½ tazas de leche caliente
1 cda. de margarina

3 huevos
1 cdta. de canela
1 pizca de sal

## Preparación

Mezclar la miga de pan cortada en trocitos, el azúcar y 1 taza de leche. Poner en una cacerola y llevar a fuego suave, revolviendo, hasta que se deshaga el pan. Retirar del fuego. Agregar el resto de leche, la margarina, los huevos ligeramente batidos, 1 pizca de sal y la canela. Echar en un molde de 24 cm de diámetro enmantequiliado y cocinar a horno moderado (175°C-350°F) por 40 minutos. Servir frío o tibio.

# Budín de sémola

## Ingredientes
(Para 6 porciones)

250 g de sémola
3 ½ tazas de leche
1 taza de azúcar
1 cdta. de ralladura de limón

100 g de margarina
3 huevos
½ taza de pasas
¾ de taza de azúcar para acaramelar el molde

## Preparación

Hervir la leche con la mitad del azúcar y la ralladura de limón. Echar la sémola en forma de lluvia, moviendo constantemente con una cuchara de madera. Cocinar hasta que espese. Retirar. Incorporar la margarina, las yemas, las pasas y las claras batidas a punto de nieve. Poner la otra mitad del azúcar en una ollita, hacer un caramelo y, con él, acaramelar un molde con tubo de 24 cm de diámetro. Volcar la preparación al molde preparado con el caramelo y llevar al horno moderado (175°C-350°F) a baño María, por 1 hora. Desmoldar frío.

# Cachitos de nuez [ nueva receta ]

## Ingredientes
(Para 3 docenas)

1 taza de harina
125 g de mantequilla helada cortada en cubitos

2 cdas. de azúcar en polvo
1 taza de pecanas picadas finas

## Preparación

Cernir la harina con el azúcar en polvo en un tazón. Agregar la mantequilla y deshacer con un tenedor. Cuando esté como arena gruesa, añadir las pecanas. Mezclar y unir la masa con las manos. Si lo hace en un procesador, poner la harina, el azúcar y la mantequilla y procese hasta formar una masa. Al final, agregar las pecanas. Colocar la masa en una bolsa de plástico y guardar en la refrigeradora por 30 minutos.
Armar los cachitos y hornearlos a temperatura moderada (175°C-350°F) durante 15 a 18 minutos. Retirarlos y espolvorearlos con azucaren polvo. Se conservan por 10 días en latas o frascos herméticos. Las pecanas pueden ser reemplazadas por nueces.

# *Cake* básico y variaciones

## Ingredientes
(Para 6-8 porciones)

2 tazas de harina
100 g de margarina
1 taza de azúcar
2 huevos

1 cdta. de vainilla
3 cdtas. de polvo para hornear
1/3 de tazas de leche

### Preparación

Batir la margarina hasta que esté cremosa, agregar el azúcar en forma de lluvia y los huevos 1 a 1, sin dejar de batir. Cernir la harina junto con el polvo para hornear e incorporar fuera de la batidora a la preparación anterior, alternando con la leche. Volcar la mezcla en un molde de 20 cm de diámetro, uno alargado de 12 cm x 25 cm o uno de 24 cm con tubo al centro, previamente enmantequillados y enharinados. Hornear a temperatura moderada (175°C-350°F) por 35 minutos o hasta que el probador salga limpio y seco.

**De nueces:** Preparar la receta básica y agregar al final ½ taza de nueces picadas mezcladas con 2 cdas. de harina

**De chocolate:** Agregar 4 cdas, de cocoa junto con la harina cernida.

**De pasas:** Incorporar al final 1 taza de pasas mezcladas con 2 cdas. de harina.

**De limón:** Mezclar la leche con 2 cdas. de jugo de limón y 1 cda. de ralladura de limón.

**Mármol:** Dividir la mezcla básica en 2. Agregar a una parte 3 cdas. de cocoa. Mezclar bien y acomodar dentro del molde por cucharadas, alternando los 2 colores.

***Cake* inglés:** Incorporar al final ½ taza de pasas y ½ taza de frutas confitadas enharinadas.

***Cake* volteado de piña:** Derretir ½ taza de margarina, añadir 2/5 de taza de azúcar y dejar hasta que haga burbujas. Vaciar dentro de un molde de 20 cm de diámetro. Acomodar encima rodajas de piña de lata bien escurridas. Al centro de cada una colocar 1 cereza marrasquino. Volcar la mezcla del *cake* básico dentro del molde preparado. Hornear. Una vez listo, dejar reposar 5 minutos y desmoldar.

# *Cake* de Navidad

## Ingredientes
(Para 12-15 porciones)

200 g de nueces
200 g de almendras
200 g de pasas
250 g de frutas confitadas
100 g de orejones

½ taza de cerezas marrasqinos
130 g de mantequilla
¾ de taza de azúcar rubia
4 cdas. de miel de abeja o maíz
3 huevos

¼ de taza de licor (pisco, coñac o whisky)
1 cdta. de especias dulces (canela, clavo, jengibre, nuez moscada)
2 tazas de harina preparada

## Preparación

Colocar todas las frutas picadas en una olla o sartén profunda, junto con la miel, la mantequilla, el azúcar y el licor. Llevar al fuego hasta que rompa el hervor. Retirar del fuego y dejar entibiar a temperatura ambiente. Incorporar la harina cernida con las especias. Agregar los huevos 1 a 1, moviendo con una cuchara de madera.

Volcar a un molde de 28 a 30 cm de diámetro, previamente enmantequillado, forrado en el fondo con papel manteca, enmantequillado y enharinado. Hornear a temperatura moderada (175°C-350°F) por 1½ horas o hasta que el probador salga limpio y seco. Desmoldar una vez que enfríe.

Las frutas secas pueden ser cambiadas a su elección, siempre que se mantenga el mismo peso.

# Champús [ nueva receta ]

## Ingredientes
(Para 6-8 porciones)

| | | |
|---|---|---|
| ¼ de kilo de maíz mote blanco remojado el día anterior | 2 rajas de canela | Azúcar al gusto |
| | ½ piña | 1 taza de pulpa de guanábana |
| Agua en cantidad necesaria | 1 membrillo | ¼ de kg de harina de maíz |
| 8 tazas de agua | 1 manzana | Jugo de 2 limones |
| 3 clavos de olor | 1 durazno | |

## Preparación

Quitar las puntas al maíz y ponerlo a hervir. Agregar agua hirviendo, si fuera necesario, hasta que el maíz esté suave. Reservar.

Colocar en una olla profunda el agua, los clavos, la canela y las cascaras de piña, membrillo, manzana y durazno. Hervir por 15 minutos y colar. En ese mismo líquido, poner a cocinar las frutas picadas en cuadraditos y el maíz con su agua, hasta que estén suaves. Agregar el azúcar y la harina en forma de lluvia, sin dejar de mover con una cuchara de madera. Hervir por 5 minutos y rociar el jugo de limón. Servir tibio o caliente.

Puede usarse sémola en lugar de harina de maíz. Se conserva en la refrigeradora por 5 o 6 días en recipiente hermético. Calentar antes de servir.

# *Cheesecake* con salsa de frutas

## Ingredientes
(Para 8-10 porciones)

250 g de *ricotta* o requesón o queso fresco desmenuzado
½ taza de azúcar

2 huevos
2 cdas, de maicena o chuño
500 g de crema batida a medio punto

## Preparación

Batir el queso con el azúcar. Añadir los huevos 1 a 1. Fuera de la batidora, incorporar la maicena y la crema batida a medio punto (es decir, sin llegar a punto *chantilly*). Volcar a un molde de 24 cm de diámetro desarmable, enmantequillado y rociado con azúcar. Hornear a temperatura moderada (175°C-350°F) por 45 minutos. Dejar enfriar dentro del horno apagado.

## Salsa de frutas *(coulis)*:
Lavar 2 tazas de fresas y retirar los cabitos. Picarlas y agregar azúcar al gusto. Cocinar por unos 5 minutos, colar y añadir 1 cdta. de chuño disuelto en 2 cdas. de agua fría. Llevar nuevamente al fuego por 3 minutos. Cubrir el *cheesecake* con parte de este *coulis* y adornar con fresas frescas. Es posible reemplazar las fresas por fruta de la estación.

# Chifón de naranja

## Ingredientes
(Para 8 porciones)

2 tazas de harina preparada
1 ½ tazas de azúcar
1 cdta. de sal
3 cdtas. de polvo para hornear

5 yemas
½ taza de aceite
3 cdas. de ralladura de naranja

¾ de taza de jugo de naranja
1 taza de claras (7-8)
½ cdta. de crémor tártaro

## Preparación

Cernir 6 veces en un tazón: harina, azúcar, sal y polvo para hornear. Hacer un hueco en el centro y añadir yemas, aceite, ralladura y jugo de naranja. Mezclar con una cuchara de madera hasta que la preparación esté uniforme. Batir en otro tazón las claras con el crémor tártaro hasta que formen picos. Mezclar suavemente, sin batir, con la preparación de las yemas, con movimientos envolventes. Volcar a un molde para chifón limpio y llevar a horno moderado (175°C-350°F) por 1 hora. Retirar del horno y dejar enfriar completamente dentro del molde puesto boca abajo.

## Variaciones

**De plátano:** Sustituir el jugo de naranja por 1 taza de puré de plátanos (2 o 3) y la ralladura por 1 cdta. de jugo de limón

**De chocolate:** Reemplazar el jugo de naranja por ¼ de taza de cocoa disuelta en ¾ de taza de agua caliente.

**De maracuyá:** Reemplazar el jugo de naranja por ¾ de taza de jugo de maracuyá. También puede usar jugo de piña o carambola.

# Chocolates fáciles sin molde [ nueva receta ]

## Ingredientes
(Para 3 docenas)

400 g de chocolate cobertura *bitter*
150 g de pasas o nueces

100 g de merengues triturados

## Preparación

Partir en pequeños trozos el chocolate y disolverlo a baño María o en el microondas. Batirlo por unos instantes con una cuchara de madera e incorporar las pasas o nueces y los merengues. Preparar 1 lata con papel manteca limpio o Silpat y dejar caer la mezcla por cucharaditas. Dejar enfriar.

# Cocadas

## Ingredientes
(Para 12 porciones)

4 claras
1 taza de azúcar

½ taza de leche condensada
250 g de coco rallado

## Preparación

Batir las claras a punto de nieve. Agregar el azúcar poco a poco y la leche mezclada con el coco. Formar las cocadas sobre latas enmantequilladas y hornear a temperatura suave (150oC-300°F) por 15 minutos.

# Copas de higos con dulce [ nueva receta ] de leche al pisco

## Ingredientes
(Para 6 porciones)

36 higos secos
1 taza de nueces o pecanas
4 tazas de agua
2 tazas de azúcar
½ raja de canela

2 tazas de dulce de leche o manjar blanco
¼ de taza de pisco
6 fresas (opcional)
Hojas de menta

## Preparación

Remojar los higos en abundante agua fría durante 6 horas. Escurrirlos, secarlos y hacerles un corte a un costado. Cortar algunas nueces en cuartos y rellenar con un cuarto cada higo. Calentar el agua en una cacerola con el azúcar y la canela. Cuando rompa el hervor, sumergir los higos y cocinarlos de 15 a 20 minutos, a fuego moderado. Dejarlos enfriar en el almíbar. Mezclar el dulce de leche con el pisco y distribuir en cada copa. Escurrir los higos y apoyarlos sobre el dulce. Decorar con las nueces restantes, las fresas fileteadas y las hojas de menta. También puede acompañar con una salsa (por ejemplo, el *coulis* de la receta «*Cheesecake* con salsa de frutas») y 1 copete de crema *chantilly*.

# Crocantes de nueces [ nueva receta ]

## Ingredientes

2 claras
1 cdta. de esencia de almendras
100 g de nueces

½ taza de azúcar
¼ de taza de harina

## Preparación

Batir ligeramente las claras y añadir la esencia de almendras. Mezclar las nueces con el azúcar y la harina. Agregar a las claras y unir bien. Poner por cdtas. sobre latas enmantequilladas y enharinadas. Llevar al horno a temperatura moderada al principio y a temperatura suave luego que tomen forma. Estarán a punto cuando se despeguen de la lata y estén bien secos.

# *Cupcakes* de manzanas y granola [ nueva receta ]

## Ingredientes
(Para 10-12 porciones)

Manzanas caramelizadas
1/3 de taza de azúcar
300 g de manzanas
¼ de taza de oporto

## Masa

120 g de mantequilla
pomada
½ taza de azúcar rubia
½ taza de miel
3 huevos
200 g de yogur de vainilla
1 ½ tazas de harina

1 ½ cdtas. de polvo para
hornear
1 pizca de sal
150 g de granola
100 g de almendras tostadas
50 g de pasas

## Preparación

### Manzanas caramelizadas:
Caramelizar el azúcar en una sartén. Pelar las manzanas, cortarlas en octavos y agregarlas junto con el oporto.

### Masa:
Batir la mantequilla pomada con el azúcar rubia y agregarle la miel. Incorporar los huevos y el yogur. Por último, agregar los ingredientes secos y las frutas. Repartir en pirotines colocados dentro de moldes para *muffins*. Completar con 1 o 2 gajos de manzana. Hornear a temperatura moderada (175°C-350°F) de 18 a 20 minutos.

# *Cupcakes* para celíacos [ nueva receta ]

## Ingredientes
(Para 12-14 porciones)

¾ de taza de azúcar
1 cdta. de vainilla
1 cdta. de ralladura de limón
2 huevos

½ taza de leche
250 g de mezcla de las 3
harinas (chuño, arroz y
maicena)
1 cdta. de polvo para hornear

## Masa mezcla

Mezcla de tres harinas (para
1 kg):
300 g de chuño
300 g de harina de arroz
400 g de maicena

## Preparación

Batir la mantequilla con el azúcar a punto pomada. Agregar la vainilla, la ralladura y los huevos 1 a 1. Batir hasta integrar todos los ingredientes. Incorporar la premezcla tamizada con el polvo para hornear, intercalando con la leche. Mezclar bien. Utilizar moldes de papel o *muffins* de silicona o de teflón. Introducir en cada molde un pirotín y rellenarlo hasta la mitad. Llevar a horno moderado (175°C-350°F) por unos 25 minutos. Retirar y dejar enfriar. Decorar con cremas (colorante vegetal, caramelos, gomitas de colores). Se recomienda consultar lo aprobado para celíacos. Los *cupcakes* se pueden congelar sin la decoración.

# Encanelado

## Ingredientes
(Para 8 porciones)

1 taza de harina preparada
5 huevos
8 cdas. de azúcar
1 cdta. de esencia de vainilla

Azúcar en polvo
½ taza de almíbar al pisco
1 taza de manjar blanco
Canela en polvo

## Preparación

Batir los huevos hasta que estén espumosos. Incorporar el azúcar y seguir batiendo hasta que la mezcla esté a punto cinta. Perfumar con vainilla. Fuera de la batidora, incorporar la harina a través del cernidor y con suaves movimientos envolventes. Volcar la preparación en un molde rectangular de 20 cm x 30 cm, previamente enmantequillado y enharinado. Llevar a horno moderado (175°C-350°F) por unos 25 minutos. Retirar, entibiar y desmoldar sobre una rejilla para enfriar. Armado: Dividir en 2 capas. Rociar con la mitad del almíbar. Rellenar con el manjar blanco y tapar. Rociar con el resto del almíbar y espolvorear con azúcar en polvo mezclada con canela. Si el bizcocho está caliente, ponga el almíbar frío. Si está frío, el almíbar debe echarse caliente. Almíbar: Poner a hervir por 10 minutos 1 taza de agua con ½ taza de azúcar. Al retirar, incorporar 1 copita de pisco. Dejar enfriar para utilizar. Si quiere variar, coloque encima del manjar blanco pulpa de chirimoya, guanábana o albaricoques en almíbar.

# Flan de naranja para celíacos [ nueva receta ]

## Ingredientes
(Para 8 porciones)

1 taza de jugo de naranja
1 tirita de cáscara de naranja
2 tazas de agua

4 cdas. de maicena
2 cdas. de colapez
1 manzana verde

## Preparación

Mezclar en una cacerola el jugo de naranjas, el agua, la cáscara de naranja y el azúcar. Revolver y llevar al fuego hasta que rompa el hervor. Retirar la cáscara. Pelar, despepitar y rallar la manzana. Añadirla a la cacerola y cocinar unos minutos. Hidratar la colapez en ¼ de taza de agua fría y la maicena en un poco de jugo de naranja o de agua. Verter en la cacerola. Cocinar revolviendo durante 2 minutos. Retirar del fuego y verter en una budinera mojada con agua fría y escurrida. Dejar enfriar antes de refrigerar por lo menos durante 3 horas para poder desmoldar. Para decorar, distribuir rodajas de naranja.

# Flan de quinua [nueva receta]

## Ingredientes
(Para 8-10 porciones)

**Masa**

1 taza de azúcar
5 huevos
1 lata de leche condensada

2 tazas de agua o leche
1 cdta. de vainilla
1 taza de quinua cocida

## Preparación

Caramelo: Poner el azúcar en una sartén u olla pequeña, de preferencia de teflón. Disolver a fuego mediano, hasta que tome color dorado ligero. Volcar inmediatamente al molde que se va a utilizar (de 30 cm x 10 cm).
Colocar los huevos en un tazón y mezclarlos bien. Añadir la leche y el agua. Perfumar con la vainilla y agregar la quinua cocida. Verter encima del molde con caramelo y hornear a baño maría por 1 ½ horas a 175°C – 350°F.
También puede hornear directamente por 45 minutos, pero de esta manera el flan resulta menos jugoso.
Si usa quinua a granel, debe lavarse hasta que el agua quede transparente, para que no amargue al cocinarse.

# Flan de vainilla

## Ingredientes
(Para 6-8 porciones)

5 huevos
1 lata de leche condensada
1 cdta. de esencia de vainilla

Agua (como medida, usar la lata
de leche vacía)
1 taza de azúcar para el caramelo

## Preparación

Batir los huevos y agregar poco a poco la leche condensada, el agua y la vainilla. Continuar batiendo por unos minutos más. Verter en un molde de 24 cm de diámetro con tubo al centro, previamente acaramelado y frio. Cocinar en horno moderado (175°C-350°F) a baño maría por unos 50 minutos. Apagar el horno, dejar reposar 15 minutos dentro del horno y retirar. Colocar el molde sobre una rejilla. Dejar enfriar y desmoldar.

# *Fondue* de chocolate [nueva receta]

## Ingredientes
(Para 6 porciones)

1 piña
1 mango
12 aguaymantos

250 g de fresas
250 g de uvas despepitadas

### *Fondue*

250 g de chocolate *bitter*
150 g de crema de leche
2 cdas. de pisco

## Preparación

Pelar la piña, quitarle la parte dura del centro y cortarla en dados. Pelar el mango y cortarlo en dados. Repartir la fruta en 6 platos individuales y refrigerar.

### *Fondue*
Colocar el chocolate y la crema en una ollita. Llevar a fuego lento sin dejar de remover, hasta que el chocolate se haya derretido. Agregar el pisco y mover bien hasta que la mezcla quede lisa. Colocar el recipiente sobre un quemador para mantener caliente el chocolate. Reparta los platos con frutas entre los comensales y ofrezca tenedores de *fondue* o palitos para ir mojando las frutas en el chocolate.

# Galletas diferentes con una sola masa [nueva receta]

## Ingredientes

200 g de margarina
½ taza de azúcar
1 huevo

2 1/3 tazas de harina preparada
Esencia de vainilla

## Preparación

Batir la margarina con el azúcar hasta formar una crema. Agregar el huevo y la harina. Perfumar con esencia de vainilla. Tomar la masa, armar 1 bola y dejar descansar en la refrigeradora por lo menos 2 horas.

**Corazones:** Estirar una parte de la masa y cortar con ayuda de un cortapastas en forma de corazón. Cocinarlas en latas enmantequilladas y enharinadas en horno moderado par 10 minutos. Cuando estén frías, sumergir una parte del corazón en chocolate cobertura derretido y apoyarlas en papel manteca a una rejilla, hasta que sequen.

**Pepitas:** Tomar una porción de masa, formar un cilindro y cortar porciones iguales. Darles forma de bolitas, aplastarlas ligeramente, hundirlas un poco al centro y rellenarlas con una porción de mermelada. Acomodarlas en placas enmantequilladas y enharinadas y llevar a horno moderado por 10 minutos.

**Niditos:** Estirar una parte de la masa y cortar medallones. Sacar el centro a la mitad. Acomodar en latas enmantequilladas y enharinadas y llevar a horno moderado por 7 minutos. Una vez horneados, colocar en los enteros un poquito de mermelada. Cubrir con los aritos y espolvorear azúcar en polvo a través del cernidor.

# Guargüeros

## Ingredientes
(Para 6-8 porciones)

1 taza de harina
4 yemas
2 cdas. de margarina derretida

1 cdta. de pisco
1 pizca de polvo para hornear
Aceite para freír

## Preparación

Cernir la harina con el polvo para hornear. En el centro poner las yemas mezcladas con el pisco y la margarina derretida y fría. Unir, armar la masa y trabajarla bien. Dejar descansar cubierta con un paño. Estirarla muy fina con ayuda de un rodillo. Cortar en tiras de 10 cm de ancho y luego en cuadrados. Unir los bordes con clara de huevo. Freír en abundante aceite. Rellenar con manjar blanco y espolvorear can azúcar en polvo.

# Helado de frutas [nueva receta]

## Ingredientes
(Para 4-6 porciones)

3 tazas de agua
2 cdas. de maicena

2 tazas de jugo y pulpa de fruta
1 taza de azúcar

## Preparación

Poner el azúcar, la maicena y el agua a hervir por 3 minutos, sin dejar de revolver. Enfriar. Llevar a congelar por 15 minutos. Volver a batir. Repetir esta operación 3 veces más. Guardar en envases de metal con tapa.
Para obtener 2 tazas de jugo y pulpa de frutas, licuarla y agregar agua si fuera necesario. Pueden usar fresas, mango, guanábana o chirimoya.

# Helado de *marshmallows* [ nueva receta ] con salsa de chocolate

## Ingredientes
(Para 4-6 porciones)

85 g de chocolate *bitter* troceado
175 g de *marshmallows* blancos

¾ de taza de leche
1 ¼ tazas de crema de leche

## Preparación

Poner el chocolate y los *marshmallows* en una olla. Añadir la leche. Calentar estos ingredientes a fuego lento hasta que todo se derrita.
Retirar del fuego y dejar enfriar. Batir la crema a punto *chantilly*. Con una cuchara metálica, incorporarla a la mezcla de chocolate fría.
Volcar la crema de chocolate en el molde (de preferencia de metal) y congelar por 2 horas como mínimo, hasta que endurezca.
Este helado se conserva hasta 1 mes en el congelador. Servir con fruta fresca.

# Leche asada

## Ingredientes
(Para 6-8 porciones)

1 litro de leche
1 taza de azúcar
4 huevos

1 cdta. de vainilla
Ralladura de 1 limón

## Preparación

Hervir la leche y dejar enfriar. Unir con la ralladura, las yemas (que previamente se disuelven en un poco de la misma leche) y las claras batidas a nieve. Mezclar todo bien y poner en moldes refractarios individuales. Cocinar 30 minutos a baño María en horno moderado (175°C-350°F) hasta dorar.

# Maná de lúcuma [ nueva receta ]

## Ingredientes

1 taza de leche condensada
4 yemas

1 taza de puré de lúcuma
Azúcar en polvo en cantidad necesaria

## Preparación

Colar las yemas en una cacerola. Agregar la leche condensada y cocinar hasta que rompa el hervor. Bajar el fuego y seguir cocinando, moviendo con una cuchara de madera hasta que espese, se desprenda del fondo y corra la mezcla hacia un lado. Incorporar el puré de lúcuma, mezclar bien, cocinar por 1 minuto más y retirar. Volcar sobre un recipiente o mármol aceitado. Dejar enfriar completamente y amasar añadiendo azúcar en polvo, hasta que se desprenda la masa de las manos. Hacer bolitas u otras formas, pasando algunas por cocoa y otras por nueces molidas. Colocar en pirotines.
Si no se agrega el puré de lúcuma, obtendrá el maná clásico, más fácil de elaborar.

# Masa bomba (receta básica y secretos) [ nueva receta ]

## Ingredientes

1 taza de agua
80 g de mantequilla
1 pizca de sal

1 taza de harina
4 huevos

## Preparación

Colocar en una olla la taza de agua. Agregar la mantequilla en trozos, la pizca de sal y llevar a fuego fuerte. Cuando rompa el hervor y la mantequilla esté fundida, añadir de golpe la harina y revolver rápidamente con una cuchara de madera. Cocinar a fuego lento, revolviendo hasta que la masa se desprenda fácilmente de las paredes de la olla. Retirar el recipiente del fuego. Dejar enfriar e incorporar los huevos 1 a 1, batiendo muy bien con la cuchara de madera después de cada adición. Se obtiene un preparado liso y bien unido. Llenar con la masa una manga con boquilla lisa o cucharitas humedecidas. Preparar pequeñas bombas o profiteroles o los bastones para los relámpagos.

## Secretos

Las preparaciones de masa bomba se cocinan en latas enmantequilladas y enharinadas. El horno siempre debe estar a temperatura alta (precalentado 10 minutos antes de utilizar). La temperatura alta (200°C-400°F) es necesaria para permitir que el aire de la masa se expanda y el líquido se evapore rápidamente. Por eso la masa se hincha. Después de 10 minutos de cocción a temperatura alta, se baja la temperatura a suave (100°C-200°F) y se continúa la cocción por 10 a 15 minutos más. Así logramos en la masa una corteza firme y seca.

No se debe abrir la puerta del horno antes de los 15 minutos de tener la preparación dentro. Apenas la retiremos del horno, hacer una pequeña incisión en un costado para que salga el vapor. Esto hará que se mantenga esponjosa y no ligosa. Se pueden guardar listas, pero sin rellenar, en recipientes cerrados herméticamente.

Si son bombitas, colocar el relleno en una manga con boquilla lisa. Hacer un pequeño corte con tijera en un costado o simplemente presione con la punta de la boquilla, introduciéndola para rellenar. También pueden cortarse por la mitad, rellenar con la crema puesta en la manga con boquilla rizada y tapar con la otra mitad. Como relleno, se puede utilizar crema *chantilly* o crema pastelera de vainilla, de chocolate u otra al gusto. Para terminar, espolvorear azúcar en polvo con el cernidor o pasar las bombas por crema de chocolate fácil (ver p. 23) o caramelo. Se rellenan solo antes de servir.

# Mazamorra de chancaca

## Ingredientes
(Para 4-6 porciones)

6 cdas. de harina
1 tapa de chancaca
1 taza de agua
1 raja de canela

2 clavos de olor
Cáscara de naranja
1 taza de leche

## Preparación

Poner la chancaca con el agua que la cubra, la canela, los clavos y la cáscara de naranja. Hervir por 10 minutos y colar. Disolver la harina en la leche fría y agregar esta mezcla poco a poco a la miel. Unir bien. Llevar al fuego nuevamente, moviendo constantemente hasta que cocine. Volcar a una compotera.

# Mazamorra morada

## Ingredientes
(Para 12 porciones)

| | | |
|---|---|---|
| 1 piña | 12 guindones | 1 palito de canela |
| 2 membrillos | 2 rajas de canela | ¾ de kg de azúcar (o al gusto) |
| 2 peras o manzanas | 5 clavos de olor | 10 cdas. de harina de camote |
| 2 melocotones | 1 taza de azúcar | 2 limones |
| 40 guindas | 1 kg de maiz morado | Canela en polvo |
| 20 orejones | | |

## Preparación

Pelar la piña, los membrillos, las peras o manzanas y los melocotones. Cortarlos en cuadraditos, mezclarlos con las frutas secas y cocinar en agua que las cubra con 1 raja de canela y 2 clavos de olor, hasta que estén a medio cocer. Incorporar 1 laza de azúcar y terminar la cocción. Cocinar el maíz morado con 1 raja de canela, 3 clavos de olor y las cáscaras de las frutas en una olla grande, hasta que el agua esté morada. Colar. Puede volverse a hervir el maíz hasta tener 3 litros de líquido. Endulzar. Disolver la harina de camote en 2 tazas del agua morada y fría. Volcar la compota de frutas sobre el agua de maíz. Agregar más azúcar, si fuera necesario. Mezclar, hervir e incorporar lentamente la harina disuelta. Dejar hervir nuevamente. Agregar el jugo de los limones. Poner en una dulcera, espolvorear con canela en polvo y servir tibia o fría.

# Merenguitos de coco [ nueva receta ]

## Ingredientes
(Para 5 docenas)

| | |
|---|---|
| 3 claras | 2 ½ tazas de coco rallado fino |
| 1 taza de azúcar | |

## Preparación

Batir las claras hasta que estén espumosas. Añadir el azúcar lentamente en forma de lluvia y seguir batiendo hasta que la mezcla esté a punto merengue. Fuera de la batidora, incorporar el coco con suaves movimientos envolventes. Colocar la mezcla en una manga con boquilla lisa o rizada o con 2 cucharitas. Formar merenguitos sobre la lata en que se van a hornear. Llevar a horno precalentado suave (125°C-250°F) y retirar cuando estén secos (unos 45 minutos). Se sabe que los merenguitos están listos cuando quedan duros, secos y se despegan de la lata. Se conservan crocantes en latas o frascos bien cerrados.

# *Mousse* de algarrobina [ nueva receta ]

## Ingredientes
(Para 6-8 porciones)

1 ½ cdas. de colapez
½ taza de agua
450 g de queso crema
¾ de taza de azúcar

1 ¾ tazas de crema de leche
½ taza de yogur natural
4 cdas. de algarrobina
¼ de taza de pisco

## Preparación

Hidratar la colapez en el agua fría y disolver al baño María o en el microondas. Batir el queso con el azúcar e incorporar fuera de la batidora la crema de leche batida a medio punto (es decir, sin llegar a punto *chantilly*), el yogur y la algarrobina disuelta en el pisco. Añadir la colapez disuelta, en forma de hilo, moviendo suavemente, hasta que la preparación esté uniforme.
Volcar a un molde aceitado o forrado con film, de 30 cm de diámetro. Refrigerar, cubierto con papel film, por 4 horas. Batir la crema de leche a medio punto quiere decir que no llegue a punto *chantilly*. Este postre puede prepararse en copas o moldes individuales.

# *Mousse* de chirimoya [ nueva receta ]
# con salsa de aguaymanto

## Ingredientes
(Para 6-8 porciones)

½ kg de pulpa de chirimoya
1½ tazas de leche condensada
1 litro de crema de leche
1 ½ cda.de colapez

## Salsa

1 taza de mermelada de aguaymanto
½ taza de agua
3 cdas. de azúcar

## Preparación

Batir la crema. Incorporar la leche condensada y seguir batiendo. A continuación, añadir la pulpa de chirimoya, batir bien y agregar la colapez hidratada en 6 cdas. de agua. Colocar el *mousse* en moldes y enfriar hasta que quede firme.

## Para la salsa
Mezclar la mermelada con el agua y el azúcar. Llevar al fuego. Reducir hasta obtener la consistencia deseada. Dejar enfriar. En el momento de servir, desmoldar el *mousse* sobre un plato y cubrir con la salsa de aguaymanto.

# *Mousse* de chocolate facilísimo

## Ingredientes
(Para 8-10 porciones)

150 g de mantequilla sin sal
150 g de chocolate cobertura rallado
½ kg de manjar blanco espeso
4 cdas. de vino blanco seco o coñac

¼ de litro de crema de leche
Nueces picadas al gusto
Obleas o bizcotelas para acompañar

## Preparación

Poner en una cacerola la mantequilla, el chocolate, el manjar blanco y el vino o coñac. Llevar a fuego lento y disolver moviendo con una cuchara de madera. Retirar, seguir revolviendo y, cuando esté frío, incorporar la crema algo batida (no muy dura). Repartir en dulceras o copas para champán. Dejar en la refrigeradora hasta que esté bien frío. Espolvorear con las nueces y acompañar con 2 bizcotelas u obleas.

# Panqueques

## Ingredientes
(Para 12-14 porciones)

1½ tazas más 2 cdas. de harina
2 tazas de leche

2 huevos
1 ½ cdta. de sal

## Preparación

Licuar todos los ingredientes. Dejar reposar 10 minutos. Aparte, calentar una sartén gruesa de 16 cm de diámetro untada con 1 cdta. de margarina. Verter allí una porción de la mezcla y cocinar de ambos lados. Seguir igual hasta terminar. Se mantienen calientes encimándolos y a baño María. Pueden congelarse bien envueltos.

# Pasta frola

## Ingredientes
(Para 6-8 porciones)

### Relleno
½ kilo de machacado de membrillo
¾ de taza de agua

### Masa
1 ¼ tazas de harina preparada
½ taza de azúcar
150 g de mantequilla
2 huevos

1 yema para pintar
1 cdta, de agua o leche
Azúcar en polvo para espolvorea en cantidad necesaria

## Preparación

### Relleno:
Cortar el machacado de membrillo en trocitos pequeños. Poner en una olla y cubrir con el agua. Disolver a fuego lento.

### Masa:
Colocar en un tazón la harina y el azúcar. Incorporar la mantequilla cortada en dados pequeños. Aplastar con un tenedor o un estribo, hasta unir, sin amasar. Añadir los huevos y armar la masa con las manos. Una vez lista, ponerla en una bolsa de plástico y refrigerar por 30 minutos. Enmantequillar y enharinar un molde para tarta de 28 cm de diámetro. Estirar las 3/4 partes de la masa sobre mesa, ligeramente enharinada. Cubrir con ella la tartera. Volcar encima el dulce de membrillo, ya frío. Estirar el resto de masa cortar tiras de un cm de ancho y formar rombos sobre la tarta. Pintar la superficie de la masa con la yema mezclada con 1 cdta. de agua o leche. Llevar al horno a 175°C-350°F por 25 a 30 minutos o hasta que la masa esté cocida y dorada. Retirar del horno, dejar reposar por 15 minutos y desmoldar. Una vez fría, espolvorear los bordes de la masa con el azúcar en polvo. Es preferible usar una tartera de fondo movible.

# Pastel de manzanas [ nueva receta ]

## Ingredientes
(Para 6 porciones)

### Masa
1 taza de azúcar
1 taza de harina preparada
¾ de taza de aceite
2 huevos

Ralladura de 1 limón
1 cdta. de vainilla
1 copa de pisco

### Relleno
3 manzanas criollas ralladas
100 g de nueces
100 g de fruta confitada

## Preparación

Unir todos los ingredientes de la masa en un tazón, mezclando con una cuchara de madera.
Enmantequillar un molde de 20 cm x 30 cm y rociarlo con azúcar.
Ponerle 1 capa de la masa y 1 de manzanas ralladas. Espolvorear con frutas y nueces y luego
otra vez manzanas. Volver a poner la masa y terminar con las manzanas. Llevar a horno moderado (175°C-350°F) hasta que cuaje. Servir tibio o frío.

# Picarones

## Ingredientes

| | | Miel |
|---|---|---|
| 4½ tazas de harina | 2 cdas. de levadura | 4 tazas de agua |
| ½ kg de camote | 2 cdas. de azúcar | 1 raja de canela |
| 200 g de zapallo | 2 cdas. de maicena | 1 cdta. de anis en grano |
| 2 tazas de agua | 2 tapas de chancaca picadas | 1 trozo de cáscara de naranja |

## Preparación

Sancochar el camote y el zapallo. Acto seguido, sacar 4 cdas. del agua para mezclar con la
levadura y licuar con el resto del agua. En un tazón poner el agua tibia reservada de la cocción
del zapallo. Disolver allí la levadura y el azúcar y dejar reposar 5 minutos. Añadir a esta mezcla
la harina y la maicena, previamente cernidas, y el zapallo con el camote. Batir con fuerza con la
mano abierta. Cubrir la preparación y dejar reposar en un lugar abrigado. Esperar que «levante
la servilleta», es decir, crezca la masa. Freír en un perol con bastante aceite. Tener cerca agua
con sal para mojarse los dedos al preparar los picarones.
Miel: Hervir los ingredientes en una cacerola hasta formar una miel espesa. El secreto: enmantequillar los bordes de la cacerola para que no se rebalse.

**Picarones**

# *Pie* de limón comercial

## Ingredientes
(Para 8 porciones)

### Masa
1 taza de harina sin preparar
2 cdas. de azúcar en polvo
2 cdas. de margarina
2-3 cdas. de agua

### Crema de limón
1 ¼ tazas de azúcar
6-8 yemas
3 tazas de agua
4 cdas. de maicena o chuño
Ralladura de 2 limones
1½ tazas de jugo de limón

### Merengue
6-8 claras
2 tazas de azúcar
1 cda. de glucosa
1 cda. de jugo de limón
colado

## Preparación

### Masa:
Cernir la harina con el azúcar. Unir con la margarina y trabajar con un tenedor o la punta de los dedos hasta formar un granulado. Agregar el agua y armar la masa, sin amasar. Dejar descansar por 15 minutos. Estirar la masa para forrar todo el interior de un molde para *pie* de 24 cm de diámetro, enmantequillado y enharinado. Cortar el excedente de la masa con ayuda de un palo de amasar. Cortar un disco de papel aluminio que pueda cubrir todo el interior del molde. Acomodarlo sobre la masa. Sobre el papel colocar frejoles en buena cantidad. Hornear a temperatura moderada por 10 a 15 minutos. Retirar, sacar los frejoles y el papel aluminio y seguir horneando 10 a 15 minutos más. Sacar del horno y dejar enfriar.

### Crema de limón:
Colocar el azúcar en una olla. Añadir la maicena y mezclar. Adicionar las yemas 1 a 1. Revolver después de cada yema. Volcar el agua y revolver al mismo tiempo. Añadir la cáscara rallada de limón y verter el jugo de limón. Revolver y llevar la preparación a fuego suave hasta que rompa el hervor. Retirar.
Desmoldar la tarta en un plato o fuente. Volcar la crema de limón dentro de la tarta. Dejar enfriar.

### Merengue:
Poner las claras en un bol. Añadir el azúcar y la glucosa. Llevar a fuego suave o a baño María. Batir hasta que desaparezcan los grumos.
Para saber si la preparación está lista, sumergir un dedo, frotarlo contra otro y asegurarse de no sentir ningún grano de azúcar. Retirar y pasar a otro bol. Comenzar a batir. Echar el jugo de limón. Continuar batiendo hasta lograr un merengue firme. Aplicar todo el merengue sobre la crema de limón. Formar picos con ayuda de la espátula o tenedor. Dorar la cobertura con un soplete o en el grill del horno. La utilización de frejoles, arroz o garbanzos evita que durante el horneado se formen globos en la masa.

*Pie* de limón comercial

# *Pie* de limón

## Ingredientes
(Para 8 porciones)

### Base
150 g de galletas de vainilla molidas
50 g de mantequilla derretida
1 ½ cdas. de azúcar

### Relleno
3 yemas
4 cdas. de jugo de limón
1 lata de leche condensada

### Cubierta
3 claras
6 cdas. de azúcar

## Preparación

Cernir la harina sin preparar con el azúcar. Unir con la margarina y trabajar con un tenedor o la punta de los dedos hasta formar un granulado. Agregar el agua y armar la masa, sin amasar. Dejar descansar 15 minutos. Estirar la masa sobre la mesa enharinada y cubrir con ella el fondo y las paredes de un molde para *pie* de 24 cm de diámetro, enmantequillado y enharinado. Hornear por 10 a 12 minutos a 175°C o 350°F. Dorar ligeramente. Dejar enfriar en el molde. Aparte, batir las yemas con el jugo de limón. Mezclar con la leche condensada. Volcar sobre la masa horneada. Batir las claras a punto de nieve y agregar el azúcar en forma de lluvia, hasta formar un merengue (al tomar el merengue entre los dedos no se debe notar el azúcar). Colocar el merengue sobre la mezcla de limón, cuidando que llegue hasta los bordes. Llevar a horno moderado (175°C o 350°F) por unos 15 minutos, hasta que comience a dorar ligeramente.

# *Pie* de manzanas

## Ingredientes
(Para 6 porciones)

### Masa
2 ¾ tazas de harina
130 g de mantequilla
½ taza de azúcar
1 huevo
1 yema

### Relleno
8 manzanas criollas para horno
1 taza de agua
1/3 de taza de azúcar
1 cda. de canela
1 pedazo de cáscara de limón

¼ de taza de nueces picadas
¼ de taza de pasas
3 cdas. de galletas de vainilla molidas
1 cdta. de maicena

## Preparación

Batir la mantequilla. Agregar el azúcar, el huevo y la yema. Cernir la harina sobre la mezcla anterior. Unir la masa sin trabajarla, solo armar el bollo, envolverlo en plástico y dejar descansar 2 a 3 horas en la refrigeradora.

### Relleno:

Pelar y cortar en tajadas gruesas las manzanas. Retirar las semillas. Cocinarlas en el agua, junto con el azúcar, la canela y la cáscara de limón (a fuego lento, para que no se deshagan). Una vez cocidas, escurrir y enfriar. Reservar 2 tazas del líquido de cocción.
Tomar un molde desarmable para *pie* de 24 cm de diámetro, enmantequillado y enharinado. Forrar la base y las paredes con una parte de la masa (reservar 1/3). Espolvorear la base con galletas de vainilla molidas. Cubrir con las manzanas (escurridas), intercalando con nueces picadas y pasas. Aparte, espesar el jugo reservado con 1 cdta. de maicena. Volcar a temperatura tibia sobre la fruta. Estirar la masa reservada, cortar tiras de 2 cm de ancho y formar un enrejado con ellas. Hornear a temperatura moderada (175°C-350°F) hasta terminar la cocción. Dejar enfriar en el molde.

# Pionono infalible

## Ingredientes
(Para 8 porciones)

5 cdas. de harina preparada
5 huevos
5 cdas. de azúcar

1 cdta. de esencia de vainilla
1 cdta. de miel

## Preparación

Batir los huevos hasta que estén espumosos. Agregar el azúcar en forma de lluvia y seguir batiendo hasta que quede a punto cinta. Fuera de la batidora, y a través del cernidor, incorporar la harina (previamente cernida) con movimientos envolventes. Perfumar con la vainilla y la miel. Untarla lata con margarina y cubrirla con papel manteca enmantequillado y enharinado. Hornear a temperatura moderada (175°C-350°F) por 12-14 minutos. Retirar, cubrir con otra lata de igual tamaño y dejar enfriar. Esto hará que el pionono conserve la humedad que le da la miel y será flexible.

# Rosca de manzana y nuez

## Ingredientes
(Para 8-10 porciones)

3 tazas de harina preparada
1 ¾ tazas de azúcar
1 cdta. de polvo para hornear
1 cdta. de canela en polvo

¼ de cdta. de sal
¼ de cdta. de nuez moscada
1 taza de aceite
½ taza de jugo de manzana

2 cdtas. de esencia de vainilla
3 huevos grandes
3 manzanas peladas y picadas
1 taza de pasas rubias

## Preparación

Colocar en un tazón grande todos los ingredientes, menos las manzanas, las nueces y las pasas. Mezclar bien con una batidora a baja velocidad o con ayuda de la cuchara de madera. Agregar las manzanas, las nueces y las pasas. Volcar la mezcla en un molde de 25 cm de diámetro con tubo al centro, enmantequillado y enharinado. Hornear a temperatura moderada (175°C o 350°F) durante 1 hora y 15 minutos. Una vez lista la rosca, servir espolvoreada con azúcar en polvo.

# Suspiro de limeña

## Ingredientes
(Para 8 porciones)

1 lata de leche condensada
1 lata de leche evaporada
6 yemas

1 cdta. de esencia de vainilla
Oporto en cantidad necesaria
¼ de taza de azúcar

4 claras
Canela en polvo o virutas de chocolate

## Preparación

En una cacerola de fondo grueso, cocinar las dos leches sin dejar de revolver con una cuchara de madera, hasta dar punto de manjar blanco. Incorporar las yemas (coladas) y agregar la vainilla. Una vez listo, volcar en una compotera grande o en dulceras individuales.
Aparte, en otra cacerola, poner el azúcar, cubrir con el oporto y llevar a fuego hasta obtener un almíbar a punto de hilo fuerte. Batir las claras a nieve y echar el almíbar caliente sin dejar de batir, hasta que se enfríe. Cubrir con este merengue y realizar picos levantando el merengue con ayuda de un tenedor. Servir el manjar en una compotera grande o en dulceras individuales. Espolvorear con canela en polvo o virutas de chocolate.
Para variar el suspiro, agregar puré de lúcuma, chirimoya o guanábana al manjar.

Suspiro de limeña

# Tiramisú [ nueva receta ]

## Ingredientes
(Para 6-8 porciones)

4 huevos
1 taza de azúcar
1 cda. de colapez (opcional)
¼ de taza de agua fría

1 paquete de queso crema
(225 g)
¼ de litro de crema de leche
20 bizcotelas

1 taza de café cargado
1 cda. de coñac, pisco o ron
Cocoa para espolvorear

## Preparación

### Crema:
Batir a baño María las yemas con ½ taza de azúcar, hasta que estén blancas. Batir las claras a punto de nieve con la otra ½ taza de azúcar. Hidratar la colapez en el agua fría y disolverla al calor. Mezclar el queso crema con las yemas, las claras, la colapez disuelta y la crema de leche batida a medio punto.

### Armado:
Colocar 1 capa de bizcotelas sobre una fuente de cerámica. Humedecerlas con el café mezclado con el licor y cubrir con una capa de la crema. Repetir el mismo procedimiento hasta terminar con crema. Espolvorear con la cocoa. Se puede utilizar pionono en lugar de bizcotelas.

# Torta crocante de frutas secas [ nueva receta ]

## Ingredientes
(Para 8-10 porciones)

## Base
100 g de mantequilla
100 g de azúcar
2 huevos
1 ¾ tazas de harina
1 cdta. de polvo para hornear
1 pizca de sal
1 cdta. de esencia de vainilla

## Cubierta
100 g de mantequilla
100 g de azúcar
50 g de nueces picadas
50 g de almendras
1 cda. de miel
1 cdta. de esencia de vainilla
3 cdas. de leche

## Preparación

Batir la mantequilla con el azúcar. Perfumar con la esencia de vainilla. Agregar los huevos 1 a 1. Batir muy bien después de cada adición. Incorporar la harina, el polvo para hornear y la sal, todo a través del cernidor. Integrar con movimientos envolventes. La mezcla debe quedar bien firme. Volcar la preparación en un molde redondo, desarmable, de 24 cm de diámetro, enmantequillado y enharinado. Estirar la masa con los dedos enharinados.

## Cubierta:

Fundir la mantequilla en una cacerola y agregar el resto de los ingredientes. Mezclar bien, siempre con una cuchara de madera, y cocinar hasta que haga burbujas. Retirar del fuego y verter sobre la masa cruda. Emparejar la cubierta con una cuchara. Cocinar en horno moderado (175°C-350°F), los primeros 10 minutos en la parte baja del horno y durante 20 minutos en la rejilla central o hasta que se note dorada la cubierta. Una vez fría, desmoldar y servir.

# Torta de chocolate "Un poema"

## Ingredientes
(Para 12 porciones)

## Relleno y baño

3 tazas de harina preparada
1 cdta. de bicarbonato
1 cdta. de sal
1 taza de cocoa
1 1/3 tazas de aceite

2 tazas de leche
2 cdtas. de vinagre
3 huevos
3 tazas de azúcar

*Fudge* (ver receta "Turrón de chocolate")

## Preparación

Cernir la harina con la sal, bicarbonato y cocoa por 3 veces. Agregar el aceite y mezclar bien con ayuda de la cuchara de madera. Unir la leche, la vainilla y el vinagre. Agregar a la mezcla. Batir ligeramente los huevos y añadir a la preparación anterior. Al final, incorporar el azúcar sin batir. Forrar con papel manteca engrasado y enharinado 2 moldes de 30 cm de diámetro. Volcar la preparación y llevar a horno moderado (175°C-350°F) por 45 minutos más o menos. Dejar entibiar y luego desmoldar sobre rejilla.
Dividir en 2 la torta ya fría. Cubrir con *fudge*. Tapar y bañar con el *fudge* restante. El *fudge* debe estar caliente para que corra con facilidad. Colocar en la fuente y servir uno de los bizcochos. Rellenar.

# Torta de chocolate para celíacos [ nueva receta ]

## Ingredientes
(Para 8 porciones)

400 g de premezcla (ver receta
"*Cupcakes* para celíacos"
½ cdta. de bicarbonato
1 cda. de polvo para hornear
½ taza más 2 cdas. de azúcar

1 taza de cocoa
¼ de taza de aceite de maíz
3 huevos
1 taza de leche

## Preparación

Tamizar la premezcla con la cocoa, el bicarbonato y el polvo para hornear. Colocar en un bol los huevos y el azúcar. Batir ligeramente. Agregar la mitad de los ingredientes secos y batir. Incorporar la leche y mezclar hasta integrar bien. Poner el resto de los ingredientes secos y batir nuevamente. Por último, agregar el aceite. Volcar en un molde de 26 cm de diámetro, enmantequillado y enharinado. Llevar al horno a temperatura baja (150°C-300°F) durante 1 hora. Se puede cubrir con mermelada de naranja reducida.

# Torta de plátanos

## Ingredientes
(Para 12 porciones)

1 ¾ tazas de harina
3 plátanos maduros
1/3 de taza de azúcar
2 huevos

2 cdtas. de polvo para hornear
½ taza de jugo de naranjas o leche
1 cdta. de esencia de vainilla

## Preparación

Pelar los plátanos y hacer un puré bien cremoso. Agregar poco a poco el azúcar y batir hasta formar una crema. Añadir los huevos 1 a 1. Incorporar la harina cernida con el polvo para hornear, alternando con el jugo o la leche. Perfumar con vainilla. Verter la preparación en molde savarín de 22 cm de diámetro, enmantequillado y enharinado. Cocinar a horno moderado (175°G350°F) por 25 minutos. Al retirar, dejar reposar 10 minutos en el molde. Espolvorear con azúcar en polvo al desmoldar.

# Torta de yogur al limón

## Ingredientes
(Para 6-8 porciones)

1 ½ tazas de harina
1 cdta. de vainilla
1 cda. de ralladura de limón
3 cdas. de jugo de limón
3 yemas

¾ de taza de yogur de limón o natural
3 claras
1 taza de azúcar
3 cdas. de chuño o maicena
3 cdtas. de polvo para hornear

## Preparación

Colocar en un tazón el yogur, el azúcar, la vainilla, la ralladura y el jugo de limón. Mezclar y agregar las yemas 1 a 1, batiendo bien. Incorporar con movimientos envolventes y a través del cernidor la harina cernida con el chuño y el polvo para hornear. Batir las claras a nieve y unir suavemente a la preparación. Volcar a un molde con tubo al centro de 24 cm de diámetro, enmantequillado y espolvoreado con azúcar. Llevar a horno moderado (175°C-350°F) por unos 35 minutos o hasta que el probador salga limpio y seco. Servir espolvoreado con azúcar en polvo.

# Torta húmeda de zanahorias

## Ingredientes
(Para 8 porciones)

2 tazas de harina preparada
2 tazas de azúcar
¾ de taza de aceite
4 huevos

1 cdta. de polvo para hornear
1 cdta. de sal
1 cdta. de bicarbonato

3 tazas de zanahorias ralladas
Jugo de 1 limón
1 taza de pasas
1 taza de pecanas

## Preparación

Mezclar el azúcar, el aceite y los huevos 1 a 1. Cernir la harina, el polvo para hornear, la sal y el bicarbonato, y unirlo a la preparación anterior. Incorporar las zanahorias, las pasas y las nueces enharinadas. Volcar en un molde con tubo de 24 cm, enmantequillado y enharinado. Llevar a horno moderado (175°C-350°F) por unos 45 minutos.

# Torta helada de duraznos

## Ingredientes
(Para 16 porciones)

1 bizcochuelo de 6 huevos
170 g de gelatina de limón
1½ tazas de agua hirviendo
3 cdas. de azúcar
Esencia de almendras

300 g de nueces picadas
1 lata de duraznos al jugo
85 g gelatina de fresas
1½ tazas de agua hirviendo

1 lata de leche evaporada
helada
½ taza de licor (coñac, pisco
o ron)

## Preparación

Disolver la gelatina de limón con el azúcar en 1 ¼ tazas de agua hirviendo. Añadirle el jugo de los duraznos. Perfumar con la esencia de almendras y dejar enfriar. Aparte, deshacer la gelatina de fresas en 1½ tazas de agua hirviendo y volcarla en un molde de 28 cm de diámetro y 10 cm de alto. Llevar a la refrigeradora hasta que espese, pero que no cuaje totalmente. Batir la leche helada hasta que doble su volumen. Incorporar la gelatina de limón ya fría. Vaciar la tercera parte de la crema de leche en el molde. Espolvorear nueces y duraznos picados. Dividir el bizcochuelo en 2 capas y colocar una de ellas en el molde, sobre la crema. Rociar con la mitad del licor. Verter otra tercera parte de la crema sobre el bizcochuelo. Nuevamente espolvorear nueces y duraznos picados. Cubrir con la otra capa de bizcochuelo. Rociar con lo que queda de licor y terminar con el resto de crema, nueces y duraznos picados. Llevar a cuajar a la refrigeradora por lo menos durante 3 horas

# Torta selva negra

## Ingredientes
(Para 16 porciones)

### Bizcochuelo
¾ de taza de harina
6 huevos
½ taza de azúcar
½ cdta. de canela
¼ de cdta. de clavo de olor molido
¾ de taza de maicena
3½ cdas. de cocoa
2 cdtas. de polvo para hornear
50 g de nueces

### Relleno
100 g de chocolate cobertura
1 lata de cerezas en almíbar
¾ de taza de azúcar
75 g de maicena
1 taza de pisco o *kirsh*
1 litro de crema de leche
2 cdtas. de vainilla
¼ de taza de azúcar en polvo

## Preparación

### Bizcochuelo:
Batir las yemas con el azúcar hasta obtener punto cinta. Incorporar las claras batidas a punto de nieve con el resto del azúcar, uniendo suavemente. Agregar la canela, el clavo, la maicena, la cocoa, la harina, el polvo para hornear (todo previamente cernido) y las nueces picadas. Hornear a temperatura moderada (175°C o 350°F) por unos 35 minutos, en un molde de 25 cm de diámetro, enmantequillado y enharinado.

### Relleno:
Escurrir las cerezas. Mezclar el jugo con el azúcar y la maicena disuelta en ½ taza de pisco. Hervir hasta que espese. Entibiar e incorporar las cerezas cortadas en 4 (reservar 12 para decorar). Batir aparte la crema de leche con el azúcar en polvo y la vainilla, hasta obtener punto *chantilly*. Hacer rulos con el chocolate, con la ayuda de un pelapapas.

### Armado:
Cortar el bizcochuelo en tres capas. Colocar una capa en el plato en que se va a armar. Rociar con pisco. Colocar encima la mitad de la crema de cerezas. Esparcirla y luego untar con la cuarta parte de la crema *chantilly*. Tapar con otra capa de bizcochuelo. Hacer lo mismo que en la primera capa. Poner la última capa de bizcochuelo. Rociar con licor y bañar toda la torta con crema *chantilly*. En la parte superior, colocar los rulos de chocolate al centro y hacer rosetas de crema alrededor, adornando cada una con las cerezas reservadas. Rociar los rulos de chocolate con azúcar en polvo.

# Tres leches [ nueva receta ]

## Ingredientes
(Para 8 porciones)

| Base | Crema | Merengue |
|---|---|---|
| bizcochuelo básico | 1 taza de leche condensada | 6 claras |
| (ver receta) | 1 taza de leche evaporada | 2 tazas de azúcar |
| | 1 taza de crema de leche | 1 pizca de sal |

## Preparación

### Base (bizcochuelo):
Verter la preparación a un molde que pueda llevar a la mesa, de 30 cm x 20 cm, enmantequillado y enharinado. Llevar al horno a 175°C-350°F por 25 a 30 minutos.

### Crema:
Mezclar las leches y mantenerlas frías.

## Merengue:

Colocar las claras en una olla, junto con el azúcar. Llevar al fuego a baño María. Mover con una cuchara de madera hasta que el azúcar se disuelva y la preparación esté ligeramente caliente. Luego volcar la mezcla a la batidora y batir hasta obtener un merengue consistente.

## Armado:

Una vez listo el bizcochuelo, retirar del horno y volcar sobre él toda la crema fría. Cubrir con el merengue y refrigerar hasta el momento de servir. Puede añadirse diferentes sabores a las leches. Si desea servir como torta, dejar enfriar el bizcochuelo, desmoldarlo y echarle la crema caliente.

# Trufas al licor [ nueva receta ]

## Ingredientes

1 ¼ tazas de crema de leche
3 cdas. de mantequilla
2 ¾ tazas de chocolate picado
3 cdas. de licor (pisco, Cointreau, *amaretto*)

Cocoa, azúcar en polvo, nueces picadas, coco rallado
o chocolate cobertura derretido (blanco o *bitter*)

## Preparación

Calentar la crema y la mantequilla hasta que rompa el hervor. Revolver de rato en rato. Retirar del fuego, agregar el chocolate y dejar reposar durante 5 minutos. Revolver con una cuchara de madera hasta que la mezcla esté espesa y tibia. Aromatizar con el licor elegido. Refrigerar durante 3 o 4 horas, hasta que se pueda tomar la preparación entre las manos para darle forma. Formar las trufas tomando pequeñas porciones de la mezcla y darles forma esférica con la palma de las manos, ligeramente humedecidas o espolvoreadas con cocoa. Una vez hechas las trufas, rodar alguna con cocoa, azúcar en polvo, coco rallado o nueces. Pasar algunas por chocolate derretido. Refrigerar hasta que estén consistentes.

# Turrón de chocolate

## Ingredientes
(Para 6-8 porciones)

½ taza de harina
120 g de margarina
¼ de taza de azúcar

3 huevos
3 cdas. de cocoa

1 cdta. de vainilla
½ kg de nueces

## Preparación

Batir la margarina con el azúcar. Agregar las yemas 1 a 1 y seguir batiendo. Incorporar poco a poco la harina cernida con la cocoa. Añadir las nueces picadas gruesas y enharinadas. Separar ½ taza para la decoración. Unir bien. Batir las claras a punto de nieve y unir a la preparación anterior, suavemente y con movimientos envolventes. Volcar la mezcla a un molde enmantequillado de 20 cm x 30 cm. Llevar a homo de 200°C-400°F por unos 40 minutos.
Poner al fuego 1 lata de leche condensada, 1 lata de leche evaporada y ½ taza de cocoa disuelta en ½ taza de agua hirviendo. Mover constantemente hasta tomar punto (que se vea ligeramente el fondo de la olla). Agregar 1 cdta. de vainilla y 1 de mantequilla. Una vez frío el turrón, dividirlo en 2, rellenar con la mitad del *fudge* (es mejor que esté caliente), tapar con la otra mitad y cubrir con el *fudge* restante. Adornar todo el borde del turrón con las nueces.

# Turrón de doña pepa

## Ingredientes
(Para 6-8 porciones)

1 kg. de harina
¼ de kg. de manteca vegetal
¼ de kg de margarina
1 pizca de sal

3 yemas
2 cdas. de ajonjolí tostado
(opcional)
1 ½ cdas. de anís remojados
en 1 taza de agua

Colorante amarillo o achiote frito
Caramelos y grageas especiales para turrón

### Miel

3 tazas de agua
½ piña con cáscara
3 duraznos
2 membrillos con cáscara

1 plátano con cáscara
1 naranja con cáscara y sin pepas
1 hoja de higo
canela

5 clavos de olor
1 kg de azúcar blanca o rubia
1 tapa de chancaca
Jugo de 2 limones

## Preparación

Colocar la harina y la sal en un tazón. En el centro poner la manteca y la margarina. Unir con la ayuda de un tenedor o estribo, hasta que la mezcla quede como arena gruesa. Agregar las yemas, el colorante o el achiote y la infusión de anís necesaria para formar una masa que se desprenda de las manos.
Incorporar el ajonjolí (opcional) y amasar suavemente. Dejar descansar la masa por 15 minutos cubierta con un paño y formar los bastones, tomando porciones pequeñas para tal fin. Colocarlos sobre latas engrasadas y llevarlas a horno moderado (248°C a 250°C, o 480°F,) por 12 a 15 minutos.

**Miel:** Partir los membrillos, los duraznos, las naranjas y la piña. Colocarlos en una olla con el agua, la canela y el clavo. Hervir por 10 a 15 minutos. Colar. Llevar el líquido nuevamente al fuego, agregar el azúcar, la hoja de higo, el jugo de los limones y 10 chancacas en trocitos. Dejar que tome punto de bola suave (248°C a 250°C, o 480°F, con termómetro).

**Armado:** Acomodar en una fuente chata bastones de masa uno junto al otro. Espolvorear encima trocitos de bastones (deshechos con la mano), cubrir con miel. Poner la otra capa de bastones en sentido contrario. Volver a espolvorear con bastones deshechos y miel encima. Terminar con otra capa de bastones puestos en el mismo sentido que los primeros y bañar con miel. Adornar con las grageas y los caramelos.

# Volador [ nueva receta ]

## Ingredientes
(Para 8 porciones)

## Relleno

8 yemas
2 copitas de pisco
2 tazas de harina sin preparar

1 pizca de sal
¼ de cdta. de polvo para hornear
4 cdas. de mantequilla derretida fría

Manjar blanco
Mermelada al gusto
(piña, albaricoque)

## Preparación

En un tazón mezclar las yemas, el pisco y la mantequilla. Añadir la harina, la sal y el polvo para hornear, previamente cernidos. Armar la masa, mezclando suavemente, solo lo necesario para unir. Dividir la masa en 6 porciones y dejarlas reposar, cubiertas con un paño, por 15 minutos. Estirar cada porción en un círculo de 25 cm de diámetro. Hornear a temperatura moderada (175°C-350°F) sobre latas enmantequilladas por unos 5 minutos.
Dejar enfriar y rellenar, alternando las capas con manjar blanco y mermelada. Espolvorear la capa superior del volador con azúcar en polvo a través del cernidor.

# Cócteles

# Algarrobina

## Ingredientes
(Para 4-6 porciones)

1 taza de pisco
1/3 de taza de azúcar o jarabe de goma
1 ½ tazas de leche evaporada pura
1/3 de taza de algarrobina
½ cdta. de café instantáneo
6 cubitos de hielo
Canela en polvo

## Preparación

Licuar todos los ingredientes. Colar, servir en copas y espolvorear la canela en polvo. Si desea, puede reemplazar la mitad de la leche y el azúcar por leche condensada.

# *Bloody Mary* [ nueva receta ]

## Ingredientes
(Para 1 porción)

3 medidas de vodka
5 medidas de jugo de tomate
1 medida de jugo de limón
2 gotas de salsa inglesa
1 gota de salsa de tabasco
Sal y pimienta
1 rama de apio limpio y sin filamentos
para decorar.

## Preparación

Servir en vaso alto (*highbah*) sobre cubos de hielo. Las gotas de salsa de tabasco, la sal, la pimienta y la rama de apio complementan la capacidad del vaso.

# Chilcano de pisco [ nueva receta ]

## Ingredientes
(Para 1 porción)

2 cdas. de pisco
1 cda. de jugo de limón
Gotas de amargo de Angostura
½ cdta. de azúcar
3 cubitos de hielo
*Ginger ale*
Rodaja de limón

## Preparación

Poner en un vaso el pisco, el jugo de limón, las gotas de amargo de Angostura y el azúcar. Revolver hasta que el azúcar se disuelva. Agregar el hielo, la rodaja de limón y completar el vaso con *ginger ale*

# Cóctel de fresas

## Ingredientes
(Para 6 porciones)

½ kg de fresas
12 tazas de azúcar
2 tazas de pisco
1 taza de hielo
Jugo de limón
1 clara

## Preparación

Lavar muy bien las fresas, escurrirlas, retirar las hojas y dejar macerar con el azúcar por ½ hora. Poner en la licuadora las fresas, el pisco y el hielo. Añadir el jugo de limón. Si desea, agregar más azúcar y licuar unos minutos más. Incorporar la clara y licuar unos instantes hasta que la preparación quede espumosa. Servir en vasitos o copas de cóctel.
Pueden cambiarse las fresas por kiwi, uva, chirimoya, guanábana, maracuyá o carambola. En caso de utilizar las dos últimas frutas, licuar y colar antes de incorporar los demás ingredientes.

# Cosmopolitan [ nueva receta ]

## Ingredientes
(Para 1 porción)

3 cdas. de vodka
3 cdas. de licor de naranja
1 cda. de jugo de *cranberry*
Jugo de 1 limón
2 cdas. de hielo picado

## Preparación

Colocar en una licuadora o coctelera el vodka, el licor de naranja, el *cranberry*, el jugo de limón y el hielo. Agitar por unos instantes y servir en copas de martini.

# Daiquiri

## Ingredientes
(Para 1 porción)

1 medida de jugo de toronja
2 medidas de jugo de limón
2 medidas de *Campari*
1 cdta. de azúcar por trago
3 medidas de ron blanco
7 medidas de hielo

## Preparación

Colocar en la licuadora el jugo de toronja, el jugo de limón, el *Campari*, el azúcar, el ron y el hielo. Mezclar y servir inmediatamente. Se puede variar con duraznos al jugo o fresas.

# Gin y vodka tonic [ nueva receta ]

## Ingredientes
(Para 1 porción)

1/3 de taza de gin o vodka
¾ de taza de agua tónica
1 rodaja de limón

## Preparación

Servir en vaso alto (*highball*) sobre cubitos de hielo.
Si reemplaza el gin por la misma cantidad de vodka, obtendrá el apreciado vodka tonic.

# Licor de huevo

## Ingredientes

3 tazas de leche
2 tazas de azúcar
8 yemas
1 cda. de vainilla

## Preparación

Hervir durante 5 minutos la leche y el azúcar. Dejar enfriar. Agregar las yemas batidas con la vainilla. Mezclar y envasar. Mantener refrigerado.

# Manhattan [ nueva receta ]

## Ingredientes
(Para 1 porción)

1 taza de whisky
3/4 de taza de vermut rojo
6 cerezas marrasquinos con cabitos
8 cubitos de hielo
8 gotas de amargo de Angostura

## Preparación

Mezclar bien los ingredientes. Luego servir en copas, adornando con las cerezas.

# Margarita

## Ingredientes
(Para 1 porción)

4 medidas de tequila
2 medidas de Cointreau
2 medidas de jugo de limón
Hielo picado

## Preparación

Batir el tequila, el Cointreau, el jugo de limón y el hielo picado. Servir en una copa fría con el borde humedecido con jugo de limón y sal. Decorar con 1 rodaja de limón.

# Mimosa [ nueva receta ]

## Ingredientes
(Para 4-6 porciones)

3 tazas champán helado
1 ¼ tazas de jugo de naranja
4-6 rodajas de naranja
2 cubitos de hielo por porción

## Preparación

Poner en la licuadora el champán, el jugo helado de naranja fresca y los cubitos de hielo. Licuar por unos instantes y servir en copa flauta, adornada en el filo por 1 rodaja de naranja.
Si gusta, cambie el jugo de naranja por algún otro cítrico, como toronja, mandarina o lima.

## Bellini:
Cambiar el jugo de naranja por jugo de duraznos en almíbar licuados.

## *Fizz* de piña:
Licuar piña sola, sin líquido. Poner 1 o 2 cdas. de este puré en cada copa y llenar con el champán helado.

# Peruanísimo [ nueva receta ]

## Ingredientes
(Para 4 porciones)

1 ½ tazas de chicha morada
1 taza de jugo de naranja
½ taza de crema de coco
½ taza de pisco

Jugo de 2 limones
4 ramas de canela
4 rodajas de limón
4 cdas. de hielo picado

## Preparación

Mezclar bien todos los ingredientes. Servir con hielo picado y adornar cada copa con 1 sorbete, 1 rama de canela y 1 rodaja de limón.

Pisco sour

# Piña Colada

## Ingredientes
(Para 1 porcion)

2 onzas de ron
2 onzas de jugo de piña
1 onza de leche de coco (de lata)
1 taza de hielo picado

## Preparación

Mezclar en la licuadora el ron, el jugo de piña, la leche de coco y el hielo picado. Licuar por 20 segundos. Servir en un vaso alto con cubitos de hielo y un sorbete.
Decorar el borde del vaso con un trocito de piña. Si desea una piña colada más dulce y espesa, agregar mientras licúa un poco de leche condensada a la mezcla.

# Pisco sour

## Ingredientes
(Para 4-6 porciones)

2 ¼ tazas de pisco
1 ½ tazas de jugo de limón
¾ de taza de jarabe de goma o azúcar
¼ de taza de clara de huevo

2 gotas de amargo de Angostura por copa
6 cubitos de hielo

## Preparación

Licuar todos los ingredientes, menos la clara. Una vez que estén bien unidos, agregar la clara y servir en copas, adornando con gotas de amargo de Angostura.

### *Sour* de frutas:
Retirar el jugo de limón de la receta del pisco sour y agregar ¾ de taza de 1 fruta a elegir: aguaymanto, lúcuma, chirimoya, ciruela, maracuyá, etcétera. Las frutas deben ser puras y estar bien coladas.

# Ponche caliente

## Ingredientes
(Para 4-6 porciones)

1 botella de vino borgoña
Cáscara rallada de 1 naranja
Jugo de ½ naranja

1 taza de agua hirviendo
½ taza de azúcar

## Preparación

Volcar el agua hirviendo sobre la cáscara de naranja y el azúcar. Agregar el jugo de naranja y el vino. Servir caliente.

# Sangría

## Ingredientes
(Para 4-6 porciones)

1 litro de vino tinto
½ taza de azúcar
2 naranjas en rodajas con cáscara y sin pepas

1 litro de agua con gas
Hielo

## Preparación

Colocar en 1 jarra el vino, el azúcar y las rodajas de naranja cortadas en 4. Mezclar para disolver el azúcar y refrigerar. Agregar el agua con gas al momento de servir.

### Clericó o *clery cup*:
Se mezclan en la ponchera frutas en trozos pequeños (1 manzana, 4 duraznos, 2 peras y 3 ciruelas). Se agrega azúcar o jarabe al gusto y jugo de limón. Se incorpora vino blanco y se deja reposar durante 1 hora por lo menos. Luego se agrega hielo y 1 botella de agua mineral.

# Piqueos

# Aceitunas en camisa [ nueva receta ]

## Ingredientes
(Para 24 porciones)

24 aceitunas sin semillas
½ kg de papas
3 cdas. de queso rallado
2 cdas. de *ciboulette* picada

2 tazas de pan rallado
2 huevos
Aceite para freír

½ taza de mayonesa
½ copa de vino oporto
Sal y pimienta

## Preparación

Secar las aceitunas con papel de cocina. Pueden ser verdes o negras, sin pepas o rellenas. Preparar un puré de papas que quede bien firme. Condimentar con el queso y la *ciboullete*. Tomar porciones de puré, colocar 1 aceituna en el centro y formar esferas. Pasarlas por pan rallado, después por huevo batido y nuevamente por pan rallado. Freír en aceite caliente y servir acompañadas por una salsa agridulce.

## Salsa agridulce:
Colocar en un bol la mayonesa, añadir el oporto lentamente y mezclar con batidor. Rectificar el sabor con un toque de sal y pimienta.

# Bolitas de pollo al *curry* [nueva receta ]

## Ingredientes
(Para 4-6 porciones)

1 pechuga de pollo deshuesada y sin piel cortada en cubos parejos
1 cebolla fileteada
1 diente de ajo picado
1 taza de crema de leche o leche evaporada pura

3 cdas. de pisco o vino blanco
1 ½ tazas de harina
2 huevos batidos y condimentados con sal y pimienta
1 taza de pan rallado
2 tazas de aceite para freír

1 cda. de *ciboullette* u otra hierba al gusto picada
3 cda. al ras de *curry*
12 palillos de madera
4 cdas. de aceite de oliva
Sal y pimienta al gusto

## Preparación

Calentar una sartén y saltear el pollo en 2 cdas. de aceite, hasta que se dore. Agregar la cebolla y el ajo. Cocinar durante unos minutos hasta transparentar los vegetales. Desglasar con el pisco o vino blanco. Dejar cocinar hasta evaporar el alcohol. Incorporar la crema y el *curry*, cuidando que no hierva para que no se corte.

## Preparación

Salpimentar. Colocar la mezcla en la licuadora o *mixer* y procesar hasta lograr una pasta lisa y uniforme. Añadir la hierba elegida picada y refrigerar por lo menos 1 hora, para que la mezcla se enfríe y sea más fácil de armar. Si quedara muy suelta, agregar unas cdas. de pan rallado. Formar pequeñas esferas de 2,5 cm de diámetro.

## Para rebozar:

Colocar la harina en un recipiente, los huevos batidos condimentados en otro y el pan rallado en otro. Pasar las bolitas de pollo en ese orden. Luego refrigerarlas para que el rebozado se fije y no se pierda al freír.

Al freír, el aceite en buena cantidad debe estar a temperatura media, para que la cocción sea pareja. Retirar y escurrir en papel absorbente y presentar cada una de las croquetas con un palillo de madera. Ofrecer jugo de limón en pequeños recipientes u otras salsas al gusto (por ejemplo, yogur mezclado con mayonesa y miel).

# Buñuelos

## Ingredientes
### (Para 4-6 porciones)

1 taza de harina preparada
1 cdta. de polvo para hornear
½ cdta. de sal
Pimienta y nuez moscada al gusto
2 huevos

1/3 de taza de leche
1 cdta. de vinagre
1 taza del ingrediente elegido (acelga, espinaca, atún, choclo)

## Preparación

Poner en un tazón la harina, mezclada con el polvo para hornear, la sal, la pimienta y la nuez moscada. Mezclar todo con un tenedor y hacer un hoyo en el centro. Colocar adentro los huevos, la leche y el vinagre. Unir. Luego ir tomando los ingredientes secos de alrededor. Incorporar el sabor elegido: 1 taza de acelga o espinaca cocida en agua con sal, escurrida y picada. Si elige choclo, desgranar el choclo cocido y mezclarlo a la base junto con hojas de albahaca trozada. Si son de atún, escurra el aceite de 1 lata de atún y mezcle a la preparación base. El vinagre ayuda a que no se absorba aceite durante la fritura.

Dejar reposar unos 15 minutos, antes de freír (por cdtas.) pequeñas porciones apropiadas para piqueo. La fritura se debe hacer en una olla pequeña para que los buñuelos no se achaten. No deben quedar como torrejas, sino como bolitas. Con 1½ tazas de aceite es suficiente, Los buñuelos se dan vuelta cuando están dorados por un lado y se retiran en cuanto se doran por el otro. Para vigilar la temperatura del aceite, que no debe estar tan caliente, colocar un pedacito de papel en la fritura, el cual no debe quemarse.

# Calamares y pescado *crispy* [ nueva receta ]

## Ingredientes
(Para 4-6 porciones)

2 filetes de pescado sin piel
cortados en cubos de 3 cm
2 calamares limpios
2 huevos

1 cda. de hierbas frescas
1 ½ tazas de harina
2 tazas de pan rallado o *panko*
2 limones cortados en gajos

Sal y pimienta
Aceite para freír
Salsa tártara

## Preparación

Separar las aletas, el cuerpo y la cabeza del calamar. Con ayuda de papel de cocina, retirarle la piel, lavar bien bajo el chorro de agua y cortar en ruedas de 1 cm de grosor.
En un bol hacer una mezcla de huevo, sal, pimienta y hierbas. Poner harina en un recipiente y en otro agregar pan rallado. Pasar los cubos de pescado y los trozos de calamar por la harina, luego por el huevo condimentado y finalmente por el pan rallado.
Colocar los trozos de pescado y de calamar en un recipiente. Refrigerar por 20 minutos, para que el rebozado se adhiera correctamente. Freír en abundante aceite caliente hasta dorar. Retirar del aceite y colocar en papel absorbente. Mantener caliente hasta servir. Acomodar los pescados en una bandeja con gajos de limón y salsa tártara.

# Champiñones rellenos [ nueva receta ]

## Ingredientes
(Para 4-6 porciones)

2 docenas de champiñones
1 cda. de aceite de oliva
1 chorizo pequeño y sin piel
¼ de taza de espinaca cocida

3 cdas. de queso *mozzarella*
Sal y pimienta al gusto
4 cdas. de queso parmesano rallado

## Preparación

Limpiar los champiñones con papel o trapo húmedo. Retirarles los tronquitos. Calentar el aceite en una sartén y freír el chorizo desmenuzado. Agregar las espinacas y los cabitos de los champiñones finamente picados. Incorporar el queso, salpimentar al gusto y rellenar los champiñones. Colocarlos en una lata para horno, espolvorear con el queso parmesano y gratinar hasta que el queso se deshaga.
También se pueden rellenar con chorizo mezclado con arroz cocido, o queso de cabra y parmesano.

Champiñones rellenos

# Deditos de yuca [ nueva receta ]

## Ingredientes
(Para 4-6 porciones)

4 tazas de yucas sancochadas
y prensadas
4 huevos
Sal y pimienta al gusto

3 cdas. de pasta de ají amarillo
o ají amarillo molido
200 g de queso fresco
6 cdas. de aceite

Harina sin preparar en cantidad
necesaria
Pan rallado en cantidad
necesaria
Salsa Huancaína

## Preparación

Mezclar la yuca con 2 huevos. Sazonar al gusto y reservar (debe quedar como una masa). Deshacer el queso fresco con ayuda de un tenedor y mezclarlo con el ají. Tomar una porción de masa de yuca y aplastarla en la mano. Rellenar con el preparado de queso y ají. Cerrar como si se estuviera formando un cilindro pequeño (o dedito). Pasar estas formas por harina, después por los huevos batidos ligeramente y luego por el pan rallado. Calentar el aceite y freír hasta dorar. Apoyar en papel de cocina y servir. Acompañe con salsa huancaína o salsa criolla.

# Langostinos con salsa de aguaymanto [ nueva receta ]

## Ingredientes
(Para 4-6 porciones)

### Salsa de aguaymanto

½ kg de langostinos
2 huevos
Sal y pimienta al gusto

*Panko* en cantidad necesaria
Aceite para freír

1 taza de mermelada de
aguaymanto
1 taza de agua con 1 cda.
de kion rallado

## Preparación

Pelar, limpiar, lavar y secar los langostinos. Batir los huevos hasta romper el coágulo. Salpimentar y pasar los langostinos 1 por 1. Apoyarlos sobre el *panko* y darles vuelta para que se pegue bien en cada langostino. Calentar el aceite y freír. Servir de inmediato con la salsa tibia de aguaymanto.
Salsa de aguaymanto
Colocar en una cacerola la mermelada de aguaymanto y el agua. Cocinar hasta reducir. Debe quedar ligeramente suelta para poder «mojar» en ella las colitas. Puede también variar el sabor cambiando la mermelada de aguaymanto por 1 taza de pulpa de maracuyá y 4 cdas. de azúcar. Llevar a fuego suave hasta que quede como mermelada. Servir con *chips* de camotes fritos.

# Marinada de aceitunas [nueva receta ]

## Ingredientes
(Para 4-6 porciones)

100 g de aceitunas de botija
100g de aceitunas rellenas
con castañas
100 g de aceitunas rellenas
con pimientos

100 g de aceitunas verdes
Ralladura de 1 naranja
1 diente de ajo
1 cda. de romero
1 cda. de tomillo

1 cda. de orégano
1 hoja de laurel
Pimienta al gusto
¼ de vinagre balsámico
¾ de taza de aceite de oliva

## Preparación

En un tazón mezclar las aceitunas sin pepas, las especias y el ajo. Unir bien. Poner la hoja de laurel, el vinagre, la pimienta y, al final, el aceite. Dejar marinar por 24 horas y colocar en frascos de vidrio con tapa. Conservar en la refrigeradora hasta por 20 días.

# Papas sancochadas [ nueva receta]
# con aroma de pachamanca

## Ingredientes
(Para 4-6 porciones)

½ kg de papas cóctel amarillas
4 cdas. de pasta de ají panca
¼ de taza de aceite
(puede ser de oliva)

1 ramito de muña, chincho, paico y huacatay
3 cdas. de vinagre
¼ de taza de caldo de res

## Preparación

Lavar bien las papas y mezclarlas con el resto de ingredientes. Dejar reposar ½ hora. En una fuente que pueda ir al horno, acomodar las papas con las hierbas y el resto de la marinada. Hornear a temperatura moderada (175°C-350°F) durante 25 minutos o hasta que al pincharlas con un palito de brocheta las notemos listas. Servir con pisco sour.

Pejerreyes a la vinagreta

# Pejerreyes a la vinagreta [ nueva receta ]

## Ingredientes
(Para 4 porciones)

2 docenas de pejerreyes o anchovetas
Vinagre blanco
6 dientes de ajo picados

2 cdas. de perejil picado
Palillos

## Preparación

Limpiar bien los pejerreyes sin cola ni cabeza. Retirarles la piel y dividirlos en 2 y a lo largo. Colocarlos en un bol y cubrirlos con vinagre blanco. Mezclar con ajo y perejil. Condimentar al gusto con sal y pimienta. Dejar macerar 2 horas y luego enrollarlos asegurándolos con 1 palillo. Se mantienen refrigerados en recipientes de vidrio cerrados durante 5 días. Una vez cocidos por el vinagre y si no se consumen ese día, los pejerreyes se ponen blancos. Sugerimos escurrir el vinagre y cubrirlos con aceite de oliva. También se puede preparar con anchovetas y usar verduras cortadas en listones como relleno.

# Tabla de quesos [ nueva receta ]

## Ingredientes
(Para 6-8 porciones)

1 taza de requesón o *ricotta*
2 cdas. de mantequilla

1 cda. de mayonesa
Sal y pimienta al gusto

## Variaciones

* ½ cdta. de *curry*, 6 pecanas picadas y ¼ de taza de pasas borrachas
* 1 pimiento soasado, pelado y licuado
* Ajos y perejil picados
* Piña en trocitos y tocino frito y crocante
* 1 tomate en cuadraditos y hojas de albahaca picadas

## Preparación

Mezclar el queso con la mayonesa. Condimentar con sal y pimienta al gusto. Elegir 1 de las variaciones sugeridas y agregar a la mezcla anterior. Llenar el molde para formar el queso, forrado previamente con film. Refrigerar 4 horas. Se sirve con tostadas o galletitas.

# Tequeños [nueva receta ]

## Ingredientes
(Para 12 porciones)

Masa wantán
Queso fresco o queso que se derrita
Aceite para freír (debe cubrir los tequeños)

## Preparación

Cortar el queso en tiras más pequeñas que el largo de la masa. Tomar la masa wantán en una tabla o en la palma de la mano, 1 por 1, y humedecer todo el borde con un pincel o con la yema de los dedos (puede hacerse también con huevo batido). De este modo, la masa se sella al ser enrollada. Colocar el queso en el centro de la masa y enrollar sin apretar. Dejar los extremos sin cerrar para que el aceite penetre durante la fritura y no quede masa cruda.
Poner aceite a una sartén, esperar a que esté caliente y freír los tequeños. Su cocción es muy rápida. Puede acompañarlos con una salsa de palta o guacamole o una salsa huancaína.

## Variaciones

**Marineros:** Armar tequeños con salsa blanca espesa (dura) y mariscos cocidos. Freír en abundante aceite caliente. Servir con salsa de ají o mayonesa con sillao.
**De lomo saltado:** Preparar lomo saltado, escurrir y rellenar la masa wantán, sellando bien los bordes. Freír en aceite caliente y servir con salsa huancaína o salsa de ají con cebollita china.
**De humita:** Licuar 1 choclo cocido y desgranado con 1 taza de leche, sal y pimienta. Saltear 2 cebollitas chinas en 2 cdas. de aceite de oliva, junto con ½ pimiento en cuadraditos. Salpimentar y agregar el choclo. Seguir cocinando a fuego suave por 10 minutos. Revolver para que no se pegue. Una vez brillante y "atamalada" la humita, incorporar 6 hojas de albahaca picadas y dejar enfriar. Rellenar la masa wantán con 1 porción de humita en la parte inferior. Enrollar sin ajustar y sin cerrar los bordes. Freír en aceite que los cubra y escurrir sobre papel absorbente. Servir con su salsa preferida.

# índice

## Sopas ........................................................... 91

## Arroces .................................................... 107

## Segundos .................................................. 123

*Nueva receta

# Mis secretos